Prédisposition génétique aux cancers : questions psychologiques et débats de société

Ministère des solidarités, de la santé et de la famille

Collection pathologie science formation

ISBN : 2-7420-0558-7
ISSN : 1271-9145

Éditions John Libbey Eurotext
127, avenue de la République
92120 Montrouge, France.
Tél. : 01 46 73 06 60
Éditrices : Raphaèle Camacho et Maud Théverin
http://www.jle.com

John Libbey Eurotext Limited
42-46 High Street
Esher
Surrey
KT10 9QY
United Kingdom

Prédisposition génétique aux cancers : questions psychologiques et débats de société

coordonné par :

Claire Julian-Reynier

Janine Pierret

François Eisinger

Ont participé à la rédaction de cet ouvrage :

Bonadona Valérie, Unité de Prévention et Épidémiologie génétique, Centre Léon-Bérard, Lyon

Bourret Pascale, INSERM UMR379, Institut Paoli-Calmettes, Marseille

Cassier Maurice, CERMES (CNRS-INSERM-EHESS), Centre de Recherche Médecine, Sciences, Santé et Société, Villejuif

Eisinger François, INSERM UMR599, Institut Paoli-Calmettes, Marseille

Gaudillière Jean-Paul, CERMES (CNRS-INSERM-EHESS), Centre de Recherche Médecine, Sciences, Santé et Société, Villejuif

Julian-Reynier Claire, INSERM UMR379, Institut Paoli-Calmettes, Marseille

Löwy Ilana, CERMES (CNRS-INSERM-EHESS), Centre de Recherche Médecine, Sciences, Santé et Société, Villejuif

Mattéi Jean-François, Université Aix-Marseille II, Marseille

Moatti Jean-Paul, Université Aix-Marseille II, INSERM UMR379, Institut Paoli-Calmettes, Marseille

Orsi Fabienne, Université Paris XIII (UMR CNRS 7115) et INSERM UMR379, Marseille

Pierret Janine, CERMES (CNRS-INSERM-EHESS), Centre de Recherche Médecine, Sciences, Santé et Société, Villejuif

Puy-Pernias Séverine, Institut Sainte-Catherine, Avignon

Saltel Pierre, Unité de psycho-oncologie, Centre Léon-Bérard, Lyon

Sévilla Christine, Fondation MGEN, Paris

Sobol Hagay, Inserm UMR599, Institut Paoli-Calmettes, Marseille

Préface

J.-F. Mattéi

Ce livre est le bienvenu, pour les professionnels de santé comme pour les associations et les patients. Il aborde avec simplicité, bon sens et modestie l'un des sujets les plus difficiles que pose la médecine moderne en rappelant, qu'en toute circonstance, l'essentiel est de ne pas nuire. Pour autant, ce n'est pas un livre réservé aux seuls médecins. Outre la médecine et la biologie, les auteurs viennent d'horizons aussi différents que la sociologie, la psychologie ou encore l'économie et la recherche. Chacun apporte son regard, ses connaissances et ses doutes. C'est probablement la raison pour laquelle, face au problème douloureux du cancer qui éprouve et déroute, on ressent un grand réconfort en découvrant un supplément d'humanité au fil des chapitres.

La génétique a bouleversé notre conception de la vie et de la maladie. Le cancer demeure une épreuve tragique contre la souffrance et la mort. La rencontre de la génétique et du cancer se trouve donc naturellement au carrefour de toutes les interrogations de l'âme humaine.

Quelles places respectives pour la génétique et l'environnement dans la survenue du cancer ? Entre les droits de la personne malade et ses devoirs au regard de la famille qu'il faut avertir ? Savoir ou ne pas savoir ? Dire ou ne pas dire, déchiré entre le secret médical et le danger proclamé ? Entre la médecine individuelle et la santé publique, le traitement et la prévention, parfois même la précaution ? Entre la santé et les frontières de la maladie ? Entre le présent et le futur ? Comment être malade avant même que la maladie ne survienne, si même elle se manifeste un jour ? Quelles frontières entre le possible et le souhaitable ?

Toutes ces questions se mêlent et s'entrechoquent, repoussant les limites de la médecine, de la politique et de la métaphysique. Quand un gène peut être responsable du cours d'une vie, face au destin la liberté se rebelle. Quand un gène peut être breveté et commercialisé, la dignité de l'homme se révolte. Voilà, parmi tant d'autres, quelques facettes de ce champ nouveau qu'il nous faut cultiver, préoccupés de la moisson à venir.

Pourtant déjà des signes encourageants ne trompent pas. Le propre de l'homme est d'affronter les défis qui s'imposent. C'est pour lui l'occasion de s'élever et de progresser dans son humanité. Tout au long de ce livre, on redécouvre que la vérité libère, la responsabilité grandit, la solidarité épanouit, le partage rend plus fort. On y acquiert aussi la conviction que l'intervention du politique est nécessaire pour rappeler les valeurs qui doivent guider notre société et définir des règles communes tout en préservant chacun.

Le développement de l'oncogénétique, et plus généralement de la médecine prédictive, est l'occasion de remettre l'homme au centre de nos préoccupations. Ce doit être notre souci commun. Ce livre le montre bien.

Sommaire

Cet ouvrage est la synthèse de travaux d'experts, qui ont été remis au ministère de la Santé le 31 décembre 2003. La recherche systématique d'informations bibliographiques s'est arrêtée au 30 septembre 2003.

Introduction

C. Julian-Reynier, J. Pierret, F. Eisinger

Cet ouvrage présente, par l'intermédiaire d'une dizaine de chapitres courts, certaines questions spécifiques d'ordre psychologique, social et économique posées par l'introduction dans la pratique clinique de tests de prédisposition génétique aux cancers. Certains chapitres font un point bibliographique sur une question particulière, d'autres rapportent des éléments d'enquêtes de terrain ou d'expériences cliniques. Ces textes ont été écrits par un ensemble de chercheurs, d'universitaires et de cliniciens ayant comme dénominateur commun leur connaissance du champ de la santé et venant d'horizons allant de la médecine et la psychologie à la sociologie, l'histoire et l'économie. Ces différentes approches, les unes plus générales, les autres plus particulières, expliquent les tonalités différentes d'écriture. C'est une des originalités de cet ouvrage.

Cette médecine du risque et les tensions créées par les conflits d'intérêts que peuvent rencontrer les acteurs du champ de cette discipline sont introduites par une approche sociologique.

Plusieurs textes abordent les dimensions d'ordre clinique et notamment d'ordre psychologique qui sont à l'œuvre dans les consultations. Les difficultés de la communication des risques et l'impact de cette communication sur les représentations de la maladie et les comportements de prévention, notamment la chirurgie prophylactique, sont en particulier évoqués. Sont aussi revues les questions autour de la diffusion de ces informations dans les familles, informations concernant à la fois l'hérédité et le cancer, sujets tous les deux très sensibles. Les modalités d'accès aux tests de dépistage aux États-Unis, en Grande-Bretagne et en France sont examinées et une étude des modes de régulation de leur pratique par les professionnels de la génétique est proposée. Une analyse des régulations potentielles et réelles de ces pratiques, en cours de mise en place en France, tant dans leur dimension administrative que politique et professionnelle, est ensuite revue à travers des approches historique et sociologique.

Les aspects de régulation sociale et économique de ces activités commencent par une revue générale de la question de la valorisation de la propriété intellectuelle du vivant. Une analyse fine des étapes et des glissements des réglementations permet de comprendre comment la possibilité de breveter le génome s'est progressivement introduite. Cette réflexion permet de mieux situer les débats contemporains autour de cette question et de mieux apprécier les pièges d'une valorisation économique, dont on ne sait si à moyen terme elle sera un frein ou un moteur au développement de cette activité. Une large place est faite ici à la comparaison internationale, notamment à partir d'une analyse détaillée de l'expérience des brevets sur les gènes de prédisposition aux cancers aux États-Unis. L'impact de la brevetabilité du génome sur les pratiques cliniques, l'intérêt de l'évaluation économique et la mise en danger de l'efficience dans un contexte de financement socialisé des dépenses de santé est ensuite discuté dans différentes approches. Cet ouvrage s'achève par une revue des risques de discrimination sociale et une analyse des régulations légales protégeant de ces discriminations notamment en France.

D'une médecine de la maladie à une médecine de la surveillance et du risque ?

J. Pierret

L'apparition de signes et symptômes est généralement à l'origine d'un recours à un médecin qui, après un examen clinique et le plus souvent des examens complémentaires, va poser un diagnostic de maladie et proposer un traitement. En effet, des examens radiologiques et des tests biologiques peuvent être nécessaires pour confirmer ou infirmer un diagnostic en cas de suspicion. Cette pratique médicale clinique correspond à ce que Foucault (1963) a analysé en termes de « spatialisation » corporelle de la maladie. Au cours de la seconde moitié du XXe siècle, la médecine connaît de nombreuses transformations qui diversifient ses modalités d'intervention et modifient l'espace de la maladie comme les rapports entre santé et maladie, entre normal et pathologique. L'intervention médicale ne se centre plus exclusivement sur le corps du malade dans le cadre de la consultation : elle vise également à améliorer la santé de catégories de population saines, « normales » et définies selon certains critères, et même à éviter l'apparition de certaines maladies, voire, plus récemment, à anticiper les risques de maladie.

AMÉLIORER LA SANTÉ ET ÉVITER L'APPARITION DE LA MALADIE

Des populations saines et sélectionnées sur la base de critères biologiques ou biologisés comme le sexe et l'âge (les appelés du contingent, les prostituées et surtout les enfants) vont devenir la cible de la médecine à travers les politiques de dépistage. La syphilis est la première maladie à avoir fait l'objet d'un dépistage systématique en population saine après la Seconde Guerre mondiale. La réaction sérologique mise au point par Wassermann en 1906 permettait de confirmer ou d'infirmer la présence de la syphilis chez des malades présentant des symptômes. Il faudra attendre 1949 pour qu'un test sérologique efficace soit capable de détecter la présence d'anticorps spécifiques contre le tréponème et donc de permettre un diagnostic dans une population saine (Löwy, 1995). Concernant les politiques de dépistage, Castel (1981) a pu écrire « l'éventuelle intervention vise des individus présélectionnés sur des critères individualisés, décontextualisés par rapport à l'environnement et économise une action préventive générale sur le milieu ». Il ne s'agit plus d'intervenir quand la maladie se manifeste, mais bien de lutter pour améliorer la santé collective et réduire des inégalités. La nature même de ce qu'est la maladie est en question et le « normal » est à reproblématiser.

À la fin des années 70, le développement des politiques de prévention consiste à intervenir, en diffusant des messages et des conseils, afin que les individus modifient leurs comportements et adoptent des habitudes de vie plus saines et hygiéniques. La promotion de la santé et l'éducation pour la santé proposent l'adoption de règles de diététique, l'exercice d'une activité physique régulière, une consommation modérée d'alcool et l'arrêt du tabac, ainsi que la protection des rapports sexuels avec l'apparition de l'infection à VIH. Cette nouvelle stratégie consiste à donner la responsabilité de la surveillance aux personnes elles-mêmes en vue d'éviter l'apparition même de certaines maladies (Crawford, 1977). Pour Armstrong (1995), l'ultime triomphe de ce qu'il qualifie de « médecine de surveillance » serait qu'elle soit internalisée, incorporée par toute la population.

Derrière cette pathologisation et cette surveillance de la vie, la promotion de la santé reconnaît qu'il n'existe pas de relation simple entre santé et maladie, mais que la santé pourrait encore être meilleure et qu'une maladie chronique peut coexister avec un état de santé. Les outils théoriques de la promotion de la santé sont les notions de « facteur », qui n'implique pas nécessairement une maladie et de « risque », qui identifie une possible mais non certaine future maladie. En ouvrant un espace des possibles, le risque se surajoute à d'autres risques corporels et extracorporels et implique de prendre en compte, outre l'espace corporel, l'espace de la communauté et des modes de vie dans une perspective temporelle. La médecine semble avoir été saisie par un nouvel objet ou une nouvelle façon de penser son objet : le risque ? On serait entré dans une médecine de plus en plus anticipatrice qui permettrait d'identifier, non plus une maladie, mais un risque possible de maladie et qui, au nom du futur, entendrait modifier les habitudes présentes en matière de santé.

ANTICIPER LA MALADIE ET LE RISQUE DE MALADIE

Les possibilités ouvertes par l'outil génétique s'inscrivent dans ce mouvement de la médecine de surveillance et du risque. La recherche des causes génétiques des maladies, marquée dans un processus matériel « scientifiquement » descriptible, conduirait selon Conrad (1999) à une réactualisation de la doctrine de l'étiologie spécifique. Mais, à l'exception de la chorée de Huntington, il existe peu de maladies dans lesquelles le gène constitue la cause nécessaire et suffisante de la maladie et son identification ne s'accompagne pas nécessairement d'un traitement efficace. Dans la plupart des cas, il s'agit de la mise en évidence d'une susceptibilité et d'un risque possible de maladie future et donc de diagnostic probabiliste de prédisposition. Quelles sont les ressources thérapeutiques dont dispose cette médecine anticipatrice du risque de maladie et comment soigne-t-elle le risque ? Outre les implications sur la pratique médicale elle-même, les effets individuels, collectifs et sociaux de cette médecine du risque ne sont pas négligeables.

Les prédispositions génétiques ne sont pas externes et liées aux comportements individuels ou aux conditions de vie, mais sont dans l'individu lui-même et héritées de sa famille. Leur identification contribue à faire des « porteurs d'anomalies biologiques, latentes car sans trouble clinique subjectif, des malades en puissance, dans le louable souci de leur épargner une maladie « réelle » en prenant, quand cela est possible, des mesures préventives » (Sinding, 1991). Se savoir porteur d'une anomalie génétique constitutionnelle, c'est découvrir quelque chose sur soi et sur sa lignée. Cette découverte peut s'accompagner de l'acquisition de connaissances et d'un savoir qui n'est pas seulement fonctionnel et utile à l'action mais peut permettre de répondre à des questions plus fondamentales face au mal : pourquoi moi ? car les individus sont toujours à la recherche du sens du mal. Toutefois, dans le cas des anomalies génétiques, il s'agit d'une quête de sens qui ne met pas seulement en cause les caractéristiques mêmes de l'individu et son rapport au social mais sa filiation et sa lignée. De plus, ce savoir demande de comprendre et d'intégrer ce que sont un risque, un raisonnement probabiliste, un gène de prédisposition ainsi que les rapports entre diagnostic présymptomatique de certitude et diagnostic probabiliste de prédisposition.

Au-delà de ces conceptions fondamentales du corps et du mal et de l'acquisition de connaissances, on sait aussi que la perception du risque est socialement sélective et renvoie aux positions, aux pratiques et aux expériences subjectives et sociales des individus. Cela signifie que les risques sont évalués en fonction des *décisions* dans lesquelles les individus sont engagés et non en fonction d'une rationalité qui évaluerait les aspects positifs et négatifs indépendamment de tout contexte social ou de toute expérience. Enfin, l'appréciation du risque ne se fait pas seulement au nom d'une logique de santé ou de prévention, mais prend en compte d'autres logiques, familiales ou économiques. Le « souci de soi » n'est pas toujours l'objectif principal et peut être pris dans un ensemble de contraintes et de contradictions qui contribuent à orienter la décision « la moins mauvaise possible », dans un contexte d'incertitude et parfois même d'absence de perspectives thérapeutiques.

Et si actuellement l'identification du risque génétique ne s'adresse qu'à des individus à risque, les possibles dérives d'un dépistage dans des populations plus larges ne peuvent pas être ignorées : « la médecine prédictive, voie nouvelle de maintien en bonne santé [...] seul moyen d'améliorer la condition humaine » (Ruffié, 1993). Ne risque-t-on pas d'assister à de nouvelles procédures de désignation et de catégorisation des individus et de leur famille ? Ne risque-t-on pas d'assister à un renversement de point de vue qui, sur la base du chacun pour soi et l'identification d'individu potentiellement malade, contribuerait à accroître l'individualisme et à affaiblir les liens sociaux ?

QUELLES PERSPECTIVES ?

La maladie en n'étant plus une fatalité mais une production dont l'individu pourrait être responsable, peut conduire à lui demander de modifier son présent en vue d'un futur plus raisonnable ou meilleur. Une normalité qui ne serait plus biologique mais comportementale serait en train de se mettre en place et un déplacement normatif s'opérerait du côté de l'adaptation des comportements (Golse, 2001).

À côté d'une médecine de la maladie s'est développée une médecine de surveillance de populations ciblées avec en particulier des politiques de dépistage de maladie et des politiques d'éducation pour la santé. La biologie moléculaire a ensuite permis d'identifier des individus à risque incertain de développer une maladie. La pratique médicale s'en trouverait modifiée et devrait développer d'autres modalités de prise en charge, par exemple comment agir avec un individu qui se sait porteur d'un risque de maladie dont personne ne sait ni si elle va se déclarer, ni quand et ni comment. En risquant de s'affranchir de la maladie, la médecine ne deviendrait-elle pas un savoir total sur l'homme ? La médecine va-t-elle devenir une science de l'information sur l'individu, avec un savoir de plus en plus individualisant et décontextualisé ?

Communication du risque en oncologie génétique : objectifs, conséquences psychologiques et comportementales

C. Julian-Reynier

CONTEXTE ET DÉFINITIONS

Très tôt, dans les années 80, Kessler (2000) distinguait deux approches différentes de « conseil génétique ». La première considérée comme un modèle « éducatif » était axée sur l'éducation des patients et essentiellement sur la transmission des connaissances et la correction des croyances erronées. La seconde correspondait à une approche de *counselling,* c'est-à-dire visant à répondre aux questions et aux problèmes particuliers des patients sans pour autant devoir couvrir l'ensemble du champ des connaissances du domaine considéré. Le premier modèle est basé sur l'hypothèse que les patients viennent à ces consultations pour obtenir une information et que cette information en elle-même leur permettra de prendre des décisions de manière adaptée à la rationalité médicale. Il correspond à des consultations basées sur l'autorité médicale. Le second modèle fait l'hypothèse d'une complexité du comportement des patients qui ne pourront trouver des solutions à leurs problèmes spécifiques que si le consultant arrive à comprendre leurs préoccupations et leur détresse. Ce second modèle est beaucoup plus centré sur le patient, l'amélioration de ses connaissances n'étant qu'un moyen de le soulager psychologiquement, de lui donner un sentiment de contrôle par rapport aux décisions à venir. Ainsi il serait plus exact de traduire par « consultation de génétique » le « *genetic counselling* » des Anglo-Saxons dans la mesure où le terme de « *counselling* » représente un processus d'aide face à une maladie ou à des décisions. Ce processus d'aide se différencie d'un « conseil » dont la connotation directive en français n'est pas présente dans la signification anglaise.

LES INTERVENANTS IMPLIQUÉS DANS LES CONSULTATIONS DE GÉNÉTIQUE

Il est indispensable de différencier les approches des professionnels impliqués dans les consultations de génétique pour mieux interpréter les données de la littérature. Les « *genetic counsellors* » présents aux États-Unis, au Canada, en Australie, dans certains centres britanniques et aux Pays-Bas sont des personnes ayant suivi 5 années d'université (3 années d'un cursus varié, biologique ou autre puis 2 années de masters en « *genetic counselling* » correspondant à un enseignement mixte de génétique, de clinique et de psychologie). Cette formation leur donne les compétences pour construire des arbres généalogiques, pour les interpréter dans des cas simples et pour communiquer l'information sur les risques lorsqu'il n'existe pas de difficulté particulière. Ils ne posent pas de diagnostic.

En France, en Allemagne, en Italie, en Espagne, ce sont pour l'instant des généticiens et d'autres médecins qui interviennent dans le cadre de la consultation de génétique, et la place d'autres intervenants (psychologues essentiellement) est marginale et non systématique.

Enfin, certains pays ont organisé une spécialisation en génétique pour certains professionnels paramédicaux, formations moins longues que les masters mais qui permettent à ces professionnels d'intervenir en association avec le médecin : infirmières, infirmières sociales (Belgique, Suède), psychologues (Belgique, Pays-Bas).

CONSULTATION DE GÉNÉTIQUE : CONTEXTE ET DÉFINITIONS

L'évaluation des risques est un processus progressif, commençant sur une base clinique et épidémiologique par la construction d'un arbre généalogique et par son interprétation sous différents modèles de risque. Cette évaluation peut ensuite être complétée, lorsque les critères d'indication sont réunis, par l'utilisation de tests génétiques qui permettent de préciser ce risque sur une base biologique.

L'évaluation de l'impact de la communication des risques, que ce soit par l'intermédiaire de l'arbre généalogique ou par l'intermédiaire des tests biologiques, doit donc se baser sur la définition des « résultats » attendus dépendant de la nature de cette évaluation et de ses objectifs.

Spécificités de la communication des risques de cancer du sein/ovaire

La communication des risques de cancer du sein/ovaire (mais c'est aussi le cas pour le côlon) est particulièrement complexe : d'une part parce que des risques de plusieurs natures peuvent être communiqués, d'autre part parce que chacun de ces risques est en lui-même composite, pouvant être présenté pour différentes populations et décliné sous de nombreuses présentations dont il est connu qu'elles interfèrent avec la compréhension des risques (Julian-Reynier *et al.,* 2003).

Risques de nature différente. Deux grandes catégories de risques sont évoquées au cours de la consultation : le risque de cancer et le risque de prédisposition génétique.

Le *risque* de cancer est lui-même *composite :* risque de cancer du sein, mais aussi risque de cancer de l'ovaire ou de la prostate. Il peut s'agir du risque de premier cancer, du risque de récidive ou de second cancer. Pour chacun des cancers évoqués, il existe différents facteurs de risque parmi lesquels se situent le risque familial et le risque génétique (Woloshin *et al.,* 2002). Le risque de référence étant celui de la population générale, il est aussi essentiel de le présenter dans la mesure où il n'est jamais nul. Par ailleurs, l'efficacité des mesures de prévention (dépistage, chirurgie prophylactique) intervient sur le niveau de risque ou de pronostic du cancer dépisté.

Le *risque génétique* se décline en différentes composantes : la probabilité d'identifier une mutation d'un gène prédisposant au cancer du sein et/ou de l'ovaire dans une famille (BRCA1, BRCA2, etc.), la probabilité d'être porteur d'une mutation, la probabilité de la transmettre.

La présentation des risques peut aussi se faire de manière variable : sous forme chiffrée ou verbale, par l'intermédiaire de risques absolus ou de risques relatifs, de manière contextualisée ou non. Les risques peuvent aussi être présentés pour différentes périodes de temps (exemple : pour les dix prochaines années ou pour la vie entière) et de manière positive ou négative : la meilleure option étant de présenter la survenue des événements sous leurs deux facettes (exemple : le risque de développer un cancer du sein lorsque l'on est porteur d'une mutation d'un gène de prédisposition BRCA mais aussi le risque de ne pas développer un cancer du sein lorsque l'on est porteur de cette même prédisposition).

La complexité de cette information a amené de nombreuses équipes cliniques à développer des outils complémentaires (CD-rom, cassettes, livrets) pouvant aider à la communication des risques au cours de ces consultations (Green *et al.*, 2001).

Il semble qu'actuellement (Julian-Reynier *et al.*, 2003) un ensemble d'éléments converge pour indiquer que :

- même si les patients ont des difficultés à comprendre les informations chiffrées, ils les préfèrent aux informations verbales isolées beaucoup trop subjectives (risque faible ou élevé par exemple). Ainsi les modes d'informations mixtes paraissent devoir être retenus associant aussi présentations de risques absolus et de risques relatifs ;
- la communication des risques sur mesure, c'est-à-dire adaptée aux caractéristiques personnelles du patient (incluant ses caractéristiques cognitives), est la plus efficace auprès des patients. Cette individualisation de l'information peut être réalisée sous forme de documents écrits le plus souvent, et notamment de lettres personnalisées. Elle implique que le praticien prenne le temps de discuter avec le patient pour appréhender ses croyances et notamment les éléments modifiant sa perception du risque de cancer.

CONSULTATION DE GÉNÉTIQUE DU CANCER : OBJECTIFS

Ainsi la consultation de génétique peut avoir deux grandes catégories d'objectifs :

- l'induction ou la modification de comportements de santé tels que la demande de tests génétiques, la mise en place ou la modification d'un schéma de surveillance et/ou de prévention et enfin la diffusion de l'information dans la famille ;

- l'amélioration de l'autonomie des patients dans le cadre de ces mêmes comportements afin que la demande soit une demande informée et autonome à la fois pour la réalisation de tests génétiques et pour les mesures de surveillance ou de prévention.

ÉVALUATION DE L'IMPACT PSYCHOLOGIQUE DE LA CONSULTATION DE GÉNÉTIQUE DU CANCER

La perception du risque est un des facteurs sociocognitifs clé de la prédiction des comportements de santé bien qu'il existe peu d'études longitudinales montrant que la modification de la perception du risque motivera un comportement de précaution/prévention, en raison notamment d'un biais méthodologique lié à une covariance de la perception du risque et du comportement. Les personnes ayant un comportement particulier interprètent et réinterprètent leur risque en fonction de ce comportement.

Les travaux publiés montrent que la consultation de génétique en cancérologie n'augmente pas l'anxiété des patients, qu'elle améliore leur connaissance des risques mais qu'elle modifie seulement de manière marginale d'un point de vue clinique leur perception du risque tant que cette consultation n'est basée que sur l'étude de l'arbre généalogique (Huiart *et al.*, 2002 ; Meiser & Halliday, 2002 ; Braithwaite *et al.*, 2004).

Les premiers résultats concernant l'impact de la communication des résultats des tests génétiques de prédisposition au cancer du sein/ovaire pour les personnes non malades, indiquaient dans le cadre des premières études de suivi longitudinal à court terme (1 semaine, 1 mois, et 6 mois pour l'étude de Schwartz *et al.*) une diminution du niveau de détresse générale (dépression/anxiété) et du niveau de détresse plus spécifiquement liée au cancer pour les BRCA négatifs (Croyle *et al.*, 1997 ; Lerman *et al.*, 1996 ; Lodder *et al.*, 2001 ; Schwartz *et al.*, 2002). Pour les BRCA positifs, une stabilité de ces symptômes était observée après le rendu des résultats. Il en était de même pour les personnes malades et ce, quel que soit le résultat de l'identification de la mutation. Dans le cadre de l'étude de Schwartz, l'impact des résultats sur la perception des risques de cancer était très significatif avec une diminution très importante pour les personnes BRCA négatives mais aucune modification pour les BRCA positives. Nous avons retrouvé des résultats comparables dans le cadre du suivi prospectif à 6 mois de femmes françaises, observant cependant une augmentation significative de la perception du risque de cancer pour les femmes ayant une mutation ainsi qu'une augmentation à court terme du niveau de dépression de ces patientes alors que ce paramètre n'était pas modifié pour les patientes sans mutation (Julian-Reynier *et al.*, 2003). Lodder a souligné la présence de niveaux de dépression élevés pour les femmes négatives dont une sœur était positive.

Une seule étude (van Oostrom *et al.*, 2003) décrit le suivi psychologique à 5 ans de 65 patientes non malades, 23 porteuses de mutations BRCA, et 42 non porteuses. Cette étude pour laquelle la grande majorité des patientes avec mutation avaient opté pour une mastectomie prophylactique (19/23), chirurgie associée à une diminution importante des craintes de survenue de cancer, souligne cependant l'augmentation de l'état de dépression et d'anxiété de l'ensemble des femmes comparé au niveau de référence initial. Cette étude souligne aussi l'impact délétère de la mastectomie sur l'image du corps et sur la sexualité, notamment pour les femmes les plus jeunes ainsi que les facteurs prédictifs de la détresse psychique à long terme (existence d'enfants jeunes et deuil lié au cancer dans la famille).

ÉVALUATION DE L'IMPACT COMPORTEMENTAL DE LA CONSULTATION DE GÉNÉTIQUE DU CANCER

L'information sur les risques génétiques de cancer peut avoir comme objectif de modifier les demandes de tests, notamment lorsqu'elles sont non justifiées d'un point de vue médical. Plusieurs interventions ont été évaluées en ce sens essentiellement par des équipes nord-américaines (Lerman *et al.*, 1997).

L'impact de l'information génétique sur les autres comportements de santé et notamment sur les mesures de prévention est moins bien connu pour l'instant en raison du peu de recul et des faibles effectifs des études longitudinales publiées.

Ainsi, dans l'année ayant suivi l'annonce des résultats biologiques, une légère augmentation du suivi mammographique était observée pour les femmes non malades porteuses d'une mutation, comparées aux non porteuses (Peshkin *et al.*, 2001) bien que ce suivi ait été moins bon pour les femmes les plus jeunes. Il est cependant difficile de comparer ici les données de pays différents dans la mesure où l'adhésion aux mesures de surveillance mammographique dépend aussi des modalités antérieures de suivi et du taux de couverture de ces examens. Par ailleurs l'acceptabilité théorique et réelle de ces mesures de prévention est essentielle à prendre en compte, notamment celle des mesures de chirurgie prophylactique. Ainsi, si plus de la moitié des femmes néerlandaises (Lodder *et al.*, 2002 ; Meijers-Heijboer, Verhoog *et al.*, 2000) optent pour une mastectomie prophylactique, les femmes américaines (Lerman *et al.*, 2000) et françaises paraissent plus réticentes, les attitudes des femmes britanniques et canadiennes étant intermédiaires (Julian-Reynier *et al.*, 2001).

En conclusion

L'activité de communication des risques génétiques de cancer est en cours d'organisation au niveau des différents systèmes de santé et ce, en grande partie en relation avec l'offre des tests génétiques. Si les premières études concernant leur impact psychologique sont assez encourageantes, il est nécessaire d'être prudent dans leur généralisation à la pratique clinique. En effet, ces études sont en majorité des études quantitatives dont les indicateurs sont soumis aux lois des interprétations des tests statistiques, à savoir les effets moyens observés. Certains effets délétères peuvent concerner des sous-groupes particulièrement à risque qu'il est nécessaire d'étudier de manière spécifique par des études qualitatives. Par ailleurs, le suivi des cohortes de patients, non inclus initialement par le biais de protocoles de recherche, est encore insuffisant pour conclure sur l'impact comportemental de ces pratiques pour lesquelles l'aspect culturel de la prise en charge est essentiel à prendre en compte.

Dimensions psychiques de la consultation d'oncogénétique

S. Puy-Pernias

La consultation d'oncogénétique, susceptible de précipiter le sujet dans une réalité impossible à symboliser, s'avère être une situation d'interaction communicative complexe où se transmettent des informations rationnelles scientifiques mais également où s'expriment des croyances et des émotions singulières. Le déroulement de ces consultations reste ainsi largement singulier et le respect de la notion de temporalité apparaît primordial avec deux notions à préserver.

D'une part, trois étapes distinctes et progressives se doivent d'être entendues avec la constitution de l'arbre généalogique pour une base clinique et épidémiologique de l'évaluation des risques, le prélèvement sanguin avec la réalisation de tests génétiques précisant le risque sur une base biologique et enfin, le rendu diagnostique.

Ces diverses étapes marquent des intervalles de réflexion imposant un travail psychique d'appropriation de ce qui se joue ainsi qu'un travail de liaison apparaissant comme une tentative d'unification de l'expérience vécue.

D'autre part, la consultation révélant une vérité « objective » qui repose sur une potentielle transmission pathogène de gènes délétères mais également sur une vérité « subjective » qui est celle du *sujet* de l'inconscient, un temps de reprise d'informations nous semble indispensable pour une pratique clinique adaptée. En effet, au-delà du cadre où s'annonce un savoir objectivé par l'analyse moléculaire, un temps de reprise de l'information s'impose comme espace de parole offrant la possibilité au consultant d'élaborer ultérieurement ces informations et de les introduire dans son fonctionnement psychique. Lehmann et Janin (1996) qualifient ce travail « d'entretiens de reformulation ».

Ainsi, l'oncogénéticien prendra soin de respecter le temps séparant la première consultation de la notification, temps psychique de maturation, d'élaboration et de remaniements indispensable pour s'approprier et intégrer ce qui se joue dans l'instant.

Ce même praticien sera enfin à même de proposer au consultant un temps de reprise de l'information dans le cadre d'une consultation spécialisée, espace de parole dont le sujet pourra aisément se saisir à court, moyen ou long terme.

INSCRIPTION ET DEMANDE DE CONSULTATIONS D'ONCOGÉNÉTIQUE

La clinique nous éclaire sur la question de la demande en oncogénétique où la filiation est très souvent à l'initiative de la démarche.

En effet, il est important de s'arrêter sur le cas où le consultant s'avère être un sujet atteint du cancer. Ce dernier consulte alors pour les descendants, avec comme motivation une attente d'informations pour une meilleure prise en charge de la famille (Julian-Reynier *et al.*, 1998)

Cependant, nous ne pouvons négliger la demande sous-jacente pouvant laisser surgir une éventuelle recherche de phénomènes explicatifs à entendre comme tentative de réponse à l'insupportable où l'explication du cancer par l'hérédité donne un sens au réel. Il en découle l'élaboration d'une construction permettant au sujet de localiser et déterminer le sens et la cause de ce qui lui arrive avec un enchaînement d'une théorie causale comme moyen de subjectiver l'instant présent. Il convient alors de préserver cette construction permettant au sujet de supporter, dans un premier temps, « l'irreprésentable ».

CONSTRUCTION DE L'ARBRE GÉNÉALOGIQUE

Le sujet est amené, au cours de la consultation, à construire lui-même son arbre généalogique avec une particularité non négligeable d'un savoir du côté du sujet. Il est donc important de signifier que la prédiction du généticien ne peut se passer de la parole du consultant dans la mesure où le recueil des données est entièrement assujetti et subordonné aux lois de la mémoire et de la parole du sujet.

Il apparaît donc un effort de reconstruction de l'histoire médicale de la famille avec une démarche qui n'est pas sans mettre en évidence un certain degré d'incertitude et d'équivoque avec des sujets qui omettent de parler d'un détail précis, taisent des informations particulières, décident de ne pas dire... On assiste à des béances de la mémoire où le sujet malade semble dépossédé et trahi par sa mémoire généalogique. Au cours de la consultation, le parent indemne présent prend alors le relais dans une sorte de consensus tacite (Feissel, 2001) et retrouve les mots qui refusent de venir (nom ou prénom des ascendants, date de naissance des membres de la famille, localisation des cancers des personnes atteintes...).

Cet effort de mémoire singulier, ainsi constitué, n'est également pas sans remaniements psychiques avec une inscription de la maladie se faisant non seulement dans l'histoire familiale mais également dans l'histoire singulière du sujet. Il en résulte souvent le surgissement de secrets de famille délétères avec la question du mythe familial collectif au centre de la consultation. Chacun reconstruit alors son roman familial et à la rencontre du réel, chacun se construit son mythe individuel, l'élabore et le recrée.

Plus qu'un terme de droit désignant le lien de parenté unissant un enfant à ses parents, ascendants et descendants, la filiation fait série, ordonne, introduit des intervalles. Le sujet peut choisir imaginairement sa filiation matrilinéaire ou patrilinéaire en faisant abstraction de la lignée qu'il ne choisit pas. On assiste ainsi à des constructions parfois symbolico-imaginaires d'une lignée unique et continue marquée par la maladie et la mort.

La clinique nous invite donc à respecter cette filiation fantasmatique allant bien souvent au-delà de la filiation juridique et génétique.

LA COMMUNICATION DU RISQUE ET RÉTENTION DE L'INFORMATION TRANSMISE

Il existe un décalage non négligeable entre l'aspect « objectif » de l'information représentant ce que la médecine sait, ce qu'elle veut faire savoir au sujet et l'aspect « subjectif » du rapport à l'information représentant ce que le sujet peut entendre et accepter.

Il est important de prendre en considération la potentielle émergence de mécanismes défensifs de type obsessionnel, maniaque... La clinique laisse en effet entrevoir des comportements apparentés à des passages à l'acte avec des fuites devant l'information ou des refus de comprendre ou savoir...

Pour une compréhension optimale du risque pour le sujet et sa descendance, il est donc impératif de s'assurer d'explications claires et précises sur le mode de transmission du risque, les tests génétiques permettant de confirmer éventuellement le diagnostic et les conséquences d'un résultat positif.

La transmission d'informations précises est donc primordiale et d'autant plus pour une meilleure rétention. Le souci des généticiens reste de se faire entendre au plus juste de leur évaluation du risque du fait de cet écart entre ce que l'on croit dire et ce que l'on dit et la manière dont on reçoit ce dire.

LA QUESTION DE LA TRANSMISSION ET PERCEPTION DE LA FILIATION

La question de la transmission soulève la question du poids du savoir et de la responsabilité. Que faire de l'information en cas d'identification de gènes délétères ? Le sujet peut se donner une place sensiblement différente, porteur d'un « *savoir encombrant* » (Lebrun, 1993), ou porteur de l'altération et coupable de l'être ou encore porteur tout-puissant à transmettre une information lourde de conséquences où le sujet consultant peut apparaître comme messager protecteur des apparentés, seul habilité à communiquer le résultat à l'entourage. Le sujet devient alors « relais » ou interlocuteur éclairé entre les membres de la famille et l'équipe médicale (Stoppa-Lyonnet, 1995), d'éventuelles inductions de problématiques intrafamiliales sont ainsi susceptibles de surgir puisque seuls les sujets décident des apparentés à prévenir et ce, en fonction de l'histoire familiale de chacun d'entre eux.

La consultation d'oncogénétique questionne également la filiation et notamment les deux dimensions suivantes : avoir transmis et avoir hérité de. En effet, cette question intéresse à la fois un individu, son ascendance et sa descendance dans la mesure où la consultation d'oncogénétique plonge le proposant, à partir d'une question personnelle, dans une démarche familiale de recherche.

Concernant la perception de la filiation, il est important d'insister sur le fait que la filiation génétique est à dissocier de la filiation symbolique. En effet, la réalité mise en évidence par la science est à différencier de la relecture imaginaire de la transmission et si entendre la référence scientifique et normative est essentielle, entendre les représentations du sujet est une aptitude tout aussi importante à ne pas négliger (Bignon *et al.,* 1999).

RETENTISSEMENTS PSYCHIQUES

Quand on évoque la consultation d'oncogénétique, nous sommes dans le cadre de la médecine prédictive renvoyant directement à la prise de conscience de sa propre finitude. Confronté à l'irreprésentable et plongé dans son histoire qu'il aborde sous l'angle douloureux de la maladie et de la mort, le sujet n'est alors pas sans voir son angoisse de mort ravivée. Des sentiments d'impuissance et d'inéluctabilité, voire d'agressivité, sont susceptibles d'émerger.

Si l'on se réfère aux données qualitatives et cliniques, nous pouvons retrouver une potentielle remise en cause des structures constitutives de l'identité puisque la consultation questionne grandement la transmission, la lignée, la descendance.

Lehmann et Janin (1996) relèvent également des incidences sur le rapport du consultant à lui-même, à son corps et à sa famille avec d'éventuels effets de l'information sur l'état psychique du consultant et des équilibres familiaux.

Cependant, d'autres travaux publiés montrent que la consultation génétique en cancérologie n'augmente pas l'anxiété des patients et améliore leur connaissance des risques. La perception du risque, quant à elle, peut éventuellement être modifiée et ce, de manière marginale si la consultation n'est basée que sur l'étude de l'arbre généalogique (Meiser et Halliday, 2002 ; Broadstock *et al.,* 2000 ; Huiart *et al.,* 2002).

Il paraît important de distinguer les sujets atteints d'une pathologie cancéreuse des sujets sains, susceptibles de répondre différemment à la lecture des résultats des tests de susceptibilité, BRCA1/BRCA2 positifs ou négatifs.

Concernant le consultant atteint d'une pathologie cancéreuse avec altération des gènes BRCA1 ou BRCA2, une question émerge : que représente l'explication génétique du cancer par la transmission héréditaire pour ce patient ? Pour ces personnes malades et BRCA positives, la levée de l'incertitude sur l'histoire familiale associée à la présence d'une prédisposition génétique peut ainsi se laisser sentir. Donner du sens reste immanent à l'homme. Et le sujet, pris dans sa quête de sens, va localiser et déterminer la cause de ce qui lui arrive. Ce besoin d'un enchaînement causal pour subjectiver l'instant va permettre au sujet de s'approprier ce qui lui arrive. Ces phénomènes explicatifs viennent alors, dans un premier temps, suppléer à l'insupportable.

Cependant, l'articulation à une théorie causale héréditaire peut introduire l'idée que finalement le sujet n'y est « pour rien » dans sa maladie. Il est important que cette « *innocence imposée* » (Ferrant, 2002) par le fait de « se dédouaner, se déresponsabiliser » ne reste qu'un moment de son élaboration. Ceci sera, par la suite, repris dans un travail psychique d'élaboration du vécu subjectif de la maladie.

Cette théorie causale peut également gommer la dimension irrationnelle que peut prendre la maladie, cette dernière éventuellement vécue comme une malédiction, une punition... Enfin, ces résultats donnent la possibilité pour les apparentés à risque d'effectuer un test de prédisposition.

Pour les personnes malades et BRCA négatifs, ce résultat dit « non informatif » peut éventuellement renvoyer à la notion de « *culpabilité imposée* » (Ferrand, 2002) avec « *une famille qui n'y est pour rien dans l'histoire de la maladie* ».

Concernant le consultant sain sans altération des gènes BRCA1 ou BRCA2, le résultat est vécu comme « *a priori* rassurant » dans la mesure où il n'y a pas transmission du gène altéré à la descendance (sous réserve qu'il n'y ait pas prédisposition génétique dans la famille du conjoint). Toutefois la menace diminue sans être totalement écartée car la possibilité d'un cancer « sporadique » persiste. Le risque de développer un cancer préexiste donc mais n'excède pas celui des femmes de la population générale.

D'après l'étude de Lynch *et al.* (1993), il existe toujours des sujets non rassurés après mammectomie bilatérale *a posteriori* inutile.

Des réactions dépressives ont été repérées dans une étude de Lerman *et al.* (1994) et ce, après une première réaction d'euphorie suite à l'annonce.

Pour le consultant sain avec altération des gènes BRCA1 ou BRCA2, aucune étude objective ne permet à ce jour de dégager des réactions spécifiques à cette situation particulière. Des stratégies de dépistage et de prévention du cancer seront proposées. Néanmoins, le résultat n'est pas sans soulever une éventuelle culpabilité que représente le sentiment d'être porteur d'un gène délétère et potentiellement transmissible. Ce patient asymptomatique ainsi porteur de l'altération génétique se voit passer de l'état de personne bien portante (avec absence de tout signe clinique ressenti préalablement au test prédictif) à l'état de personne susceptible de déclarer la maladie (appartenance à une population à très haut risque) et de la transmettre. La question de l'estampillage est très fortement marquée dans ce cadre-ci. Si toutefois le sentiment de culpabilité persistait, Bignon (1999) avance que ce dernier ne serait pas lié au dispositif de la consultation mais trouverait son origine sur une autre scène.

PROPOSITIONS AU DÉCOURS DE LA CONSULTATION

Pour une reconnaissance et une verbalisation de la souffrance sous-jacente et des incidences dans la vie consciente et inconsciente du sujet, un espace de parole individuel peut être proposé au consultant. Par ailleurs, cet espace s'imposera au sujet dans le cadre des diverses stratégies possibles d'intervention médicale à but préventif qui lui sont proposées et qui peuvent éventuellement apparaître agressives, voire mutilantes (chimioprévention, chirurgies prophylactiques). Faisant alors directement partie intégrante du projet de soins, le psychologue tentera de répondre aux problématiques spécifiques qui résultent de ce contexte singulier.

Comme le soulignent Machavoine *et al.* (1999), un cadre groupal pourra également être proposé afin de faciliter la circulation et l'échange d'informations, l'expression des émotions et doutes, l'élaboration de questions existentielles, les relations familiales, les relations entre les participants...

Il paraît également important de proposer un temps de reprise de l'information (Bignon *et al.*, 1999) à entendre comme un travail de mise à distance afin de resituer le savoir dans un champ plus large de son histoire et d'élaborer enfin une suite au-delà de l'information en articulant un avenir à un passé.

Par ailleurs, l'appartenance à une population à très haut « risque » génétique de développer un cancer n'est pas sans soulever la question de la stigmatisation et la notion d'estampillage. Amener le patient à s'éloigner du collage le liant à cette entité potentiellement dangereuse paraît donc être l'amorce d'un travail d'élaboration psychique essentiel.

En conclusion

Nous aimerions insister sur l'importance de la collaboration entre l'oncogénéticien et le psychologue ou psychiatre. Pour une collaboration adaptée, une estime réciproque et un intérêt porté au travail de l'autre s'imposent. Il est dorénavant admis par le ministère de la Santé que les deux derniers professionnels précités formés à la cancérologie sont indispensables pour tout centre de référence en oncologie, considération retrouvée dans une circulaire en date du 24 mars 1998. Néanmoins, nous constatons encore un nombre insuffisant de formations, de vocations et de postes (F. Baillet, 1999).

Enfin, le psychologue, en position de tiers, s'inscrit dans un cadre singulier et offre ainsi un espace et un temps de parole pour l'expression de la vie psychique du consultant lui permettant ainsi d'aborder sa réalité subjective en favorisant l'émergence de ses affects, interrogations, doutes, émotions, fantasmes et par là même la cohabitation de l'irrationnel, du fantasmatique et du scientifique. Il n'en reste pas moins que cet espace de pensée, proposé dans une perspective de soutien ou d'élaboration de questions existentielles, se doit de rester une simple proposition et c'est au sujet que revient la décision d'amorcer ce travail d'élaboration psychique, indispensable pour accepter l'impensable de sa propre mort ou encore rendre acceptable « l'inacceptable ».

La mission de messager dévolue au patient consultant en oncogénétique : enjeux psychologiques

V. Bonadona, P. Saltel

L'identification de gènes de susceptibilité au cancer – citons les plus fréquemment impliqués, BRCA1 et BRCA2 pour le cancer du sein et MLH1 et MSH2 pour le cancer du côlon – a profondément modifié le conseil génétique dispensé aux familles et leur prise en charge. Un sujet appartenant à une famille à risque peut désormais connaître sa probabilité de développer un cancer : élevée s'il est reconnu porteur de la prédisposition familiale, ou identique à celle de la population générale s'il n'en a pas hérité, lui permettant ainsi de bénéficier de mesures de prévention adaptées à son niveau de risque. Les tests génétiques de nature prédictive ne sont cependant réalisables qu'à la condition qu'une anomalie constitutionnelle sur un gène de susceptibilité ait été identifiée préalablement dans la famille et que le sujet en ait eu connaissance.

Les analyses génétiques initiales visant à rechercher une anomalie sont conduites à partir du prélèvement sanguin d'un sujet atteint de cancer, appelé « cas index ». Si ce dernier est reconnu porteur d'une anomalie génétique, le médecin lui propose alors la mission de transmettre son résultat aux autres membres de sa famille afin que ceux-ci puissent eux-mêmes consulter : il est le messager (DudokdeWit, 1997). Il est en effet la première personne informée de la détection d'une mutation et la seule pouvant contacter ses apparentés, le médecin étant tenu au secret médical. Personne relais (Eisinger, 1995) ou « *maillon de la chaîne* » (témoigne Mme B), il joue un rôle essentiel au sein de sa famille.

L'analyse des caractéristiques génétiques a ceci de singulier qu'elle implique toute une famille, ascendants, collatéraux, conjoint et descendants, et dépasse donc largement le cadre du traditionnel « colloque singulier » entre médecin et patient. « Les caractéristiques génétiques sont à la fois des éléments constitutifs de l'individu en tant qu'être unique et des éléments qui relient l'individu à sa famille, passée, présente et à venir. Leur examen et leur révélation touchent donc l'individu dans sa nature biologique intime et dans ses liens avec sa famille » (CCNE, 1997). Il semble donc essentiel d'exposer clairement les enjeux de ces analyses au patient.

MESSAGER D'UNE INFORMATION GÉNÉTIQUE : UNE MISSION DIFFICILE ?

Les résultats d'une étude lyonnaise en cours depuis 1998 et visant à évaluer l'impact psychosocial d'un test positif chez le patient atteint de cancer (Lasset, 1997) apportent un éclairage sur les difficultés potentielles d'une telle mission.

Les patients diffusent rapidement l'information mais plutôt de façon sélective

Dans le mois qui a suivi la révélation de leur résultat (identification d'une anomalie génétique apportant la preuve moléculaire d'une prédisposition au cancer du sein ou du côlon), tous les patients l'ont communiqué au moins à un proche (données sur un échantillon de 43 patients). Ce sont essentiellement les conjoints qui ont été informés (tous) ainsi que les frères et sœurs (90 %) ; les parents l'ont été moins fréquemment (58 %) en raison de leur âge – « *ils sont âgés, je ne veux pas les inquiéter* », « *ils ont besoin d'être protégés* » –, ainsi que les enfants (72 %), souvent jugés trop jeunes. Parfois un sentiment de culpabilité a empêché certains de transmettre l'information : « *pour les enfants, c'est trop dur à transmettre, je me sens coupable, j'ai peur que cela bouleverse toute leur vie* », « *je ne l'ai pas dit à mon père qui se sent responsable d'une telle destinée* ».

Un seul patient a rapporté avoir donné une information générale à toute la famille lors d'une grande réunion. Les autres se limitent essentiellement aux apparentés proches, du premier degré. Un patient déclare tenir compte d'une certaine « *hiérarchie* », ainsi il n'en parle qu'à sa génération. Pour les patientes reconnues porteuses d'une prédisposition héréditaire au cancer du sein, les premiers apparentés informés sont les filles et parfois les seules : « *a fait ces analyses génétiques pour sa fille et ne veut pas inquiéter ses fils* », « *n'en a pas parlé à ses frères, le risque existe surtout pour les filles* ». Ces barrières liées au degré de parenté ou au sexe sont également retrouvées par d'autres équipes (Claes, 2003 ; Costalas, 2003 ; Julian-Reynier, 2000). Les apparentés de degré plus éloigné sont peu informés du fait d'un manque de contacts ou de contacts superficiels (Claes, 2003). Ce qui peut également se retrouver chez des apparentés proches : Hugues a identifié auprès d'un échantillon de femmes testées pour BRCA1/2 deux raisons principales pour ne pas communiquer leur résultat à leur(s) sœurs, « ne pas avoir d'étroites relations » et « ne pas vouloir les contrarier » (Hughes, 2002).

Les patients considèrent que c'est à eux de contacter leurs proches mais pour un tiers d'entre eux, il s'agit d'une responsabilité difficile

Pour une majorité de patients, leur rôle de messager s'est bien passé : « *sans problème* », « *assez facile à faire* », « *en a parlé librement* » ; une patiente a même trouvé un soulagement dans le partage de l'information « *ne s'est pas sentie seule détentrice de l'information* », une autre une certaine maîtrise « *j'ai le pouvoir de décider* ». Pour certains, c'est clairement une satisfaction : « *j'ai pu jouer un rôle actif de prévention* », « *je pense pouvoir apporter quelque chose pour eux et leur famille* », « *fière d'aller jusqu'au bout pour les enfants* ». Certains avaient anticipé leur résultat et la communication s'en est trouvée facilitée : « *je m'étais préparée à cette annonce et ma famille était sensibilisée* ». En outre, tous les patients sauf un ont informé leur famille proche (conjoint, frères et sœurs, enfants ou parents) de la possibilité d'un risque héréditaire, avant la connaissance du résultat des analyses génétiques.

Certains patients ont rapporté en revanche des difficultés : « se sentant culpabilisée, honteuse par rapport à ses enfants et petits-enfants », « crainte que ses sœurs n'acceptent pas sa démarche », « certains de mes frères et sœurs n'ont pas voulu être impliqués, ils m'ont dit : "c'est ton problème !" », « ma sœur m'a raccroché au nez, a refusé de m'écouter ! », « j'ai eu des difficultés pour le dire à mon frère, il a déjà des problèmes de santé ».

Un tiers des patients ont déclaré qu'il s'agissait d'une responsabilité « plutôt difficile ou difficile » mais 92 % considèrent que c'est à eux de contacter leurs proches et n'auraient pas souhaité qu'une autre personne s'en charge : *« c'est normal que je leur dise »*, *« c'est mon devoir »*, *« c'est légitime »*. Un patient néanmoins souligne : *« je pensais que les médecins pourraient sensibiliser certains cousins peu motivés »*. Trois patients ont estimé que ce n'était pas à eux de s'en charger (*« ... difficile, je ne vois pas pourquoi c'est à moi de le faire... »*), se justifiant ainsi : *« il y en a qui ne m'ont pas appelée lors de ma propre maladie »*, *« je pense que mon médecin traitant pouvait leur transmettre les résultats »*, *« s'étonne que ce soit à elle de le faire, un médecin est plus à même de le faire »*. Un autre avoue s'être senti *« peu concerné »*, ayant d'autres soucis sur le moment (décès d'une enfant handicapée, conjoint malade) et juge cette responsabilité difficile.

Avec un an de recul (14 patients interrogés), ils sont 50 % à trouver que c'est une responsabilité difficile et 25 % auraient souhaité de l'aide.

L'INFORMATION TRANSMISE N'A PAS TOUJOURS L'IMPACT SOUHAITÉ

Même si les patients communiquent leur résultat à leurs proches, cela n'a pas toujours l'effet attendu, en terme de réalisation de tests prédictifs. Claes *et al.* révèlent ainsi que pour 40 % des sujets cas index qui ont pourtant tous informé leurs parents au premier degré de leur résultat, aucun apparenté n'a entrepris une démarche de test prédictif (Claes, 2003). L'information a-t-elle été correctement transmise et comprise par les proches ?

Peterson *et al.* ont interrogé 39 membres de 5 familles HNPCC (formes héréditaires de cancer colorectal non polyposique) et montrent que les sujets s'impliquant le plus dans la diffusion de l'information et incitant leurs proches à consulter ou à entreprendre une démarche de test génétique sont les sujets cas index et les sujets indemnes identifiés porteurs de la mutation familiale (Peterson, 2003). Les sujets reconnus non mutés, ou n'ayant pas réalisé le test, ou n'ayant pas de lien biologique se sentent moins concernés. Les membres de la famille informés par un cas index ont eu plus fréquemment recours à un conseil génétique et réalisé un test génétique et ce, dans des délais moins longs que les membres informés par un sujet n'étant pas un cas index.

Dans l'étude lyonnaise, 80 % des patients ont informé les enfants en âge de comprendre mais dans plus d'un tiers des cas, les enfants ont refusé de pratiquer les tests que le parent « recommandait ». Une patiente témoigne : « *moi, ça m'a fait vraiment mal, j'étais en colère sur le moment et déçue, je croyais avoir réussi leur éducation...* ».

LES ENJEUX DE LA MISSION DE MESSAGER

Une dimension paradoxale : le patient devenu « un soignant, malgré lui ? »

C'est au patient qu'incombe la responsabilité de contacter les membres de sa famille pour les informer de son résultat et de la possibilité pour eux d'entreprendre des tests prédictifs. Le patient va devoir trouver les mots, le moment (« *il faut prendre le temps, choisir le moment, ne pas le dire aussitôt* ») pour aborder un sujet qui est parfois perçu comme complexe (« *termes médicaux difficiles à transmettre* »), culpabilisant (« *se sent coupable d'avoir pu transmettre* »), affronter des réactions émotionnelles parfois vives de certains (« *ton cancer, c'est ton affaire !* »), fournir les explications nécessaires et répondre à d'éventuelles questions bien souvent en empruntant au médecin ses propres termes. Le patient va devoir affronter une situation où il ne joue plus un rôle habituel de « soigné ». Cette situation implique d'une part que le patient ait parfaitement compris la signification de son résultat en termes de risque de cancer, de mécanismes de transmission, de prise en charge... or l'interprétation du résultat n'est pas toujours correcte (Aktan-Collan, 2001), d'autre part, qu'il l'assume psychologiquement. Près d'un tiers des patients exprime des réactions émotionnelles fortes après l'annonce de leur résultat, bien qu'ils s'y attendaient : « *on ne se sent plus guéri* », « *le résultat a été un choc, je me pose des questions existentielles : jusqu'à quand vais-je vivre ?* » (Bonadona, 2002), pouvant rendre encore plus difficile leur rôle de messager.

Un tel « transfert de compétences » devrait tenir compte de la complexité des enjeux. Des contradictions s'observent, ce dont rend compte la littérature. Par exemple, si l'intérêt pour les tests génétiques est habituellement fort dans le « grand public », il semble cependant inversement proportionnel à l'importance des antécédents familiaux de maladie à transmission héréditaire : plus ceux-ci ont été nombreux et graves, moins le projet de demander un test et d'aller en chercher les résultats est exprimé (Andrykowski, 1997). La vulnérabilité psychologique de tel ou tel doit être prise en compte, mais elle n'implique pas nécessairement le non-dit. En effet, alors que parmi les membres d'une famille à risque génétique (BRCA1/2), ceux ayant des antécédents de dépression sont plus nombreux à refuser les tests génétiques, en fait leur état psychologique s'aggrave plutôt, quand ils persévèrent dans ce refus. Cela n'est pas le cas pour ceux qui, parmi ce sous-groupe, réaliseront le test, quel que soit le résultat (Lerman, 1998).

Il sera donc essentiel de clarifier activement avec le « patient-consultant » , d'éventuelles confusions qui peuvent contribuer par un effet de paradoxe, à le sidérer à l'égard de cette démarche délicate.

C'est le cas par exemple de :

- *La dialectique individu/groupe familial :* Les possibilités d'une prévention ou d'un dépistage pour les autres membres de la famille sont les principaux motifs évoqués par le patient consultant, comme motivation pour la consultation d'oncogénétique mais au sein de ce groupe, il en sélectionnera peu ou prou, certains. Les arguments qui président à ce processus participeront souvent d'une dimension imaginaire propre à la généalogie. Les notions d'hérédité et de généalogie risquent ainsi d'être parfois confondues. La généalogie repose sur des règles, des consensus culturels quant à la parentalité, la filiation, la transmission du nom. Elle est un élément décisif du sentiment d'identité, d'individualité. Celui-ci s'organise autour de la question de l'« origine », s'alimente des ressemblances physiques, psychologiques ou de coïncidences dans les situations vécues, de récits familiaux qui confortent le « roman familial » de chacun. Par exemple, les contacts avec les différents apparentés devront respecter certaines préséances, légitimités et on s'adressera aux oncles, avant les cousins... même majeurs ! Ainsi, à l'évidence, les lois, la logique de l'hérédité biologique peuvent être subjuguées, tant il est délicat de se représenter que le « un » naît du « deux »...
- *La dialectique individu/groupe social :* Les sentiments de honte à l'égard de l'entourage social ne semblent pas être un facteur très influent (Petterson, 2003) et beaucoup parleront de la consultation et même des résultats dans le cercle de leurs amis proches. La dimension de solidarité, d'engagement pour la recherche, le progrès scientifique sera souvent citée comme motif de participation. Elle est cer-

tainement un argument qui valorise et légitime les efforts pour convaincre les proches. On doit éviter cependant dans notre « communication » qu'une simplification abusive conforte une représentation trop manichéenne de ce qui deviendrait une menace génétique... Comment délimiter le champ du « normal » et d'un « pathologique » ? Peut-on s'inspirer de la réflexion de Canguilhem (1993) qui a si bien su restituer à cette dialectique une dynamique pas tant de vaine maîtrise que de créativité... le pathologique étant aussi ce qui dévoile, conduit l'existence vers ce qui excède les « normes »...

- *La dialectique prédiction/prévention ou traitement :* On observera souvent que de pouvoir nommer un risque qui était repéré de longue date, explicitement évoqué au sein de la famille et ceci bien avant la découverte des gènes de prédisposition, comme dans le cas du cancer colorectal familial, exorcise en partie les craintes. Ainsi, plusieurs patients parleront de la « maladie » de Lynch, mot retenu de leur consultation. Est-ce que cela induit la croyance implicite en un traitement ?
- *La dialectique déterminisme/destin :* Pour le patient le « déterminisme » génétique peut être appréhendé comme un destin, mais le destin comme le révèlent les tragédies de Sophocle, ce n'est pas « ce qui est écrit », c'est ce qu'à trop vouloir fuir, on réalise. Le code génétique n'est pas un programme comme le patient peut se le représenter par analogie avec un « virus » informatique, plusieurs gènes interfèrent et l'épigenèse vient actualiser ou non des possibilités.

Il s'agit donc pour ce « soignant malgré lui », que le savoir génétique qui lui est transmis ne soit pas une donnée menaçante, un « état des lieux » facteur de désespoir ou de disqualification mais une connaissance partagée avec les médecins sur des « influences » scientifiquement validées à propos de la probabilité de survenue possible d'une maladie... Ce n'est pas un oracle ni une annonce de ce qui va lui arriver, à lui ou à ses proches. Ce n'est « que » l'opportunité, pour reprendre la phrase du philosophe, d'un acquiescement actif à la nécessité ! Au médecin d'en être, lui aussi, convaincu...

Un devoir d'information

Le médecin peut se trouver confronté au problème délicat d'un patient porteur d'une anomalie génétique et qui refuse de communiquer son résultat à ses apparentés, les privant ainsi de la possibilité d'entreprendre des tests prédictifs ou même de bénéficier de mesures de prévention compte tenu d'un risque avéré. Dès lors, le médecin peut-il prendre l'initiative de prévenir les membres de la famille et déroger à l'obligation de respecter le secret médical et de préserver l'intérêt de son patient ? Le CCNE a rendu un avis « à propos de l'obligation d'information génétique familiale en cas de nécessité médicale » (CCNE, 2003). Il a rappelé un principe essentiel de la relation de confiance existant entre un médecin et son patient : le respect du secret médical. La qualité de cette relation doit permettre au médecin de trouver les mots et le temps (puisqu'un diagnostic génétique n'a qu'exceptionnellement un caractère urgent) pour convaincre un patient d'informer ses apparentés.

Il est indispensable d'expliquer clairement au patient, au moment de la consultation de rendu de résultat mais également avant, lors de la réalisation des analyses génétiques, combien le choix de ne pas informer ses apparentés peut être préjudiciable pour eux. Le patient doit pouvoir trouver tout au long de sa démarche un soutien, une aide de la part du médecin pour mener à bien sa fonction de messager.

Le risque héréditaire de cancer du sein et de l'ovaire dans la clinique. Une approche comparative : France, Grande-Bretagne, États-Unis

I. Löwy

LIENS ENTRE PROPRIÉTÉ INTELLECTUELLE ET ORGANISATION DES TESTS GÉNÉTIQUES

La firme de biotechnologie Myriad Genetics possède un brevet large sur les gènes BRCA1 et 2 qui lui accorde l'exclusivité sur toutes les utilisations de ces gènes. Le plus souvent, les détenteurs d'un tel brevet vendent des licences qui donnent le droit d'utiliser le gène dans des conditions bien précises. Myriad Genetics a choisi une autre politique, celle du maintien de l'exclusivité des droits d'exécuter les tests de prédisposition génétique au cancer du sein et de l'ovaire. Ce choix peu habituel fut dicté par des considérations pratiques, telle la volonté de récupérer rapidement son investissement important dans des machines de séquençage automatique, ou la facilité relative d'exploitation des tests diagnostiques qui ne nécessitent pas l'octroi d'une autorisation de mise sur le marché. Grâce au monopole sur les tests, Myriad Genetics comptait raccourcir considérablement le temps entre le clonage d'un gène et la commercialisation des produits sur la base de ce gène, un trait particulièrement apprécié pour une « start up » qui, contrairement à de grosses firmes pharmaceutiques, ne peut pas se permettre d'attendre de nombreuses années pour récupérer l'investissement initial dans la recherche (Cassier et Gaudillière, 2000). Au-delà des considérations économiques, ce choix de Myriad Genetics a influencé la façon dont les tests génétiques dans la clinique ont été organisés aux États-Unis.

Myriad Genetics a validé sans grande difficulté son brevet et obtenu l'exclusivité d'exécution des tests pour les mutations BRCA. Les démarches à entreprendre et le prix des tests sont les mêmes dans tout le pays. Le premier test dans une famille (qui implique un séquençage complet des deux gènes BRCA) coûte 2 975 dollars, et un test pour une mutation familiale identifiée 350 dollars (ces tarifs sont entrés en vigueur après une augmentation en février 2004). Pour évaluer ces prix, il faut prendre en considération que les services médicaux sont beaucoup plus chers aux États-Unis qu'en France : le prix d'un test pour une mutation familiale identifiée est comparable à celui d'une visite chez un médecin spécialiste. Les délais d'obtention des résultats sont relativement courts, entre 6 et 10 semaines en moyenne. Pour un coût supérieur de 50 % ($4 450 et $525 respectivement), Myriad propose un service d'analyse rapide : les résultats sont fournis dans les dix jours suivant la réception de l'échantillon. Le service rapide est utilisé principalement par les femmes qui viennent de recevoir un diagnostic de cancer et qui ont une histoire familiale de cette maladie. Dans un tel cas, la connaissance du statut génétique peut modifier les options thérapeutiques.

Le « BRACAnalysis kit » distribué par Myriad aux médecins qui envoient du sang à tester au laboratoire central d'Utah inclut des tubes, une boîte spéciale pour l'envoi des échantillons par le Federal Express et des fiches à remplir. Le médecin doit juste effectuer ou faire effectuer une prise de sang et signer la prescription. En règle générale, les médecins nord-américains trouvent les services de Myriad Genetics fiables et efficaces et ont de bons contacts avec les représentants régionaux de ce laboratoire. En outre, ils apprécient le fait que Myriad se charge des négociations – souvent longues et épuisantes – avec l'assurance maladie pour le remboursement des frais du test. De telles négociations ne sont pas toujours nécessaires. Beaucoup d'utilisatrices craignent une rupture de la confidentialité qui peut mener à la discrimination, et choisissent de faire le test génétique sous un nom d'emprunt, et de ne pas informer leur assureur. Une telle crainte, partagée par une proportion importante des conseillers génétiques, n'a rien d'excessif dans un pays dans lequel l'assurance maladie est le plus souvent privée et fréquemment financée par l'employeur (Maltoff *et al.*, 2000). Ni l'existence du *Health Insurance Portability and Accountability Act* de 1996 qui interdit de lier l'assurance maladie à des tests génétiques, ni les lois parallèles au niveau des états n'ont totalement éliminé les craintes à ce sujet (Hakk et Rich, 2000).

La méthode choisie par Myriad est le séquençage total et automatique des gènes BRCA1 et 2. Le coût d'un résultat positif et négatif est donc exactement le même. En outre, bien que les chances de trouver une mutation familiale soient deux fois plus élevées chez une femme qui a eu un cancer, cet élément n'a pas une importance financière majeure dans un régime d'assurance maladie privée, puisqu'il y a peu de chance que les personnes appartenant à une même famille partagent le même assureur. En théorie du moins, il n'y a pas de raison particulière de commencer une recherche de mutation familiale chez une femme qui a eu un cancer. Dans la pratique pourtant, aux États-Unis aussi, on commence souvent la recherche d'une mutation chez une telle personne. Ceci pour deux raisons. De nombreux centres de conseil génétique sont rattachés à des services d'oncologie (en particulier aux « breast care centers » spécialisés en cancer du sein). Les candidates au test sont recrutées parmi les femmes qui fréquentent ce centre et apprennent l'existence d'une histoire familiale évocatrice de présence d'une forme héréditaire de cancer suite à un diagnostic d'une tumeur maligne. En outre, la décision de commencer une recherche d'une mutation familiale pour une femme qui a eu un cancer fait qu'elle a moins de raisons de craindre les conséquences de la mise en évidence d'une mutation puisqu'elle est déjà affectée par la pathologie. De plus, puisque son assureur est vraisemblablement au courant de sa maladie, elle aura probablement moins d'hésitations à demander le remboursement de son test par l'assurance maladie. Si une mutation est identifiée, d'autres femmes de la famille pourront faire le test pour un coût moindre, et éviter, si elles le désirent, d'en informer leur compagnie d'assurance.

Les brevets de Myriad Genetics ne sont pas reconnus en Europe (voir les textes de Maurice Cassier et de Jean-Paul Gaudillière dans ce volume).

En France, la recherche des mutations BRCA est conduite dans des laboratoires d'oncogénétique qui allient des examens de routine avec une recherche fondamentale et appliquée. Les méthodes de recherche des mutations sont partiellement homogénéisées, mais les chercheurs ne sont pas tenus à un protocole rigoureux et ne sont pas limités par une seule technique : ils peuvent chercher de nouvelles approches et tenter de perfectionner les méthodes existantes. Selon les experts français, le couplage de la recherche et des tests de routine a permis le développement de tests qui sont aussi fiables que ceux faits par Myriad Genetics, mais qui sont nettement moins onéreux (Sevilla *et al.*, 2003). Il permet aussi de faire des recherches des délétions de grande taille qui ne se prêtent pas à l'automatisation. Finalement, un lien étroit entre la recherche et les tests de routine facilite la constitution des librairies de mutants et donc les progrès de la recherche sur les mutations BRCA. Par contre, on peut argumenter qu'un grand volume de tests accomplis dans des conditions rigoureusement homogènes offre une meilleure garantie de fiabilité des résultats.

En France, la méthode choisie pour révéler la présence d'une mutation est le plus souvent le séquençage partiel du gène (pour plus de détail sur les stratégies d'analyse utilisées en France, consulter Sevilla *et al.* dans cet ouvrage). Dans un tel cas, le coût de la recherche des mutations varie en fonction de la vitesse de leur identification. Les résultats négatifs sont les plus chers, puisqu'on est obligé d'aller jusqu'au bout de la démarche. Il est raisonnable d'optimaliser la recherche de la mutation familiale en la commençant par une femme qui a eu un cancer (et qui est d'accord pour faire le test), et les experts sont réticents à lancer la recherche des mutations BRCA dans une famille, en l'absence d'une telle personne. Par contre, si l'histoire familiale est fortement évocatrice de la présence d'un cancer héréditaire, et qu'une mutation n'est pas trouvée, il est possible d'aller au-delà de la recherche des mutations ponctuelles, et de chercher des délétions de grande taille. De telles mutations, responsables de 10 à 15 % des mutations dans les gènes BRCA, sont invisibles avec l'équipement automatisé de Myriad.

En Grande-Bretagne, la recherche en génétique moléculaire est séparée des investigations de routine. Les laboratoires de recherche en génétique médicale, souvent d'un très haut niveau, sont financés principalement par le Medical Research Council. Ces laboratoires ont des liens avec des services cliniques, et ils font dans certains cas de la recherche de mutations qui prédisposent aux formes héréditaires du cancer.

Cependant, la recherche de telles mutations n'a pas comme but d'éclairer les individus sur leur statut génétique, mais une meilleure compréhension des mécanismes moléculaires de la transformation maligne. Des laboratoires de recherche utilisent plusieurs stratégies de séquençage et font en parallèle une recherche des délétions de grande taille. Les tests de routine pour la présence des mutations BRCA sont effectués dans les laboratoires régionaux de génétique médicale du National Health Service. De tels laboratoires ne se spécialisent pas en oncogénétique et exécutent l'ensemble des tests génétiques, tel le diagnostic prénatal ou des tests pour des pathologies héréditaires. Selon certains spécialistes britanniques, la qualité des tests pour la prédisposition héréditaire des cancers du sein et de l'ovaire en souffre. Des tests pour les mutations BRCA2 ont été introduits tardivement, et le taux de mise en évidence des mutations dans des familles classées « haut risque » est inférieur à celui affiché par Myriad.

L'ACCÈS AUX TESTS

L'absence d'une couverture universelle de la maladie aux États-Unis façonne l'accès aux tests dans ce pays. Vu le prix d'un test initial, les personnes testées ont soit des moyens qui leur permettent de payer, soit une assurance maladie qui couvre le prix de la recherche des mutations. Jusqu'à récemment il s'agissait presque exclusivement des assurances privées et des HMO (*Health Management Organization*) : l'accès au test fut donc limité à des femmes des couches moyennes et supérieures. Ceci est peut-être en train de changer, partiellement au moins. À partir du début 2004, le coût des tests de mutation dans les gènes BRCA aux États-Unis est couvert par le Medicare ; ces tests sont donc gratuits pour toutes les femmes de plus de 65 ans. Il s'agit, ceci va de soi, d'une population de femmes qui n'est pas la première concernée par le risque d'un cancer du sein héréditaire, une maladie qui se développe principalement chez des femmes de moins de 50 ans. On peut supposer cependant que dans une famille avec une histoire de cancer du sein, une femme âgée qui a eu un cancer aura intérêt à faire le test gratuitement. Si une mutation est identifiée, d'autres membres de sa famille pourront faire de même pour un prix plus réduit. Il faut toutefois avoir accès à l'information sur les risques génétiques, et cet accès est souvent lié à un statut socio-économique plus élevé.

Aux États-Unis, n'importe quel médecin peut prescrire un test génétique. La fiche jointe à l'envoi des échantillons à Myriad comprend le nom du médecin qui demande le test, le nom du malade, le type de test demandé (normal, rapide, test pour une mutation identifiée), les informations sur la présence du cancer chez la personne testée et dans sa famille et des indications sur le mode de paiement. Le médecin qui envoie un test doit aussi certifier que le malade a signé une forme de consentement. Il n'y a aucune obligation de passer par un conseil génétique avant le test, ou de fournir un tel conseil après la réception des résultats. Cette absence de conseil génétique obligatoire fut fortement dénoncée par des généticiens et par le mouvement associatif du cancer du sein (Holtzmann et Watson, 1998). Dans la pratique, les tests génétiques sont prescrits le plus souvent soit dans les centres spécialisés dans le traitement du cancer du sein, soit dans des services de génétique médicale (il est difficile d'avoir les données précises sur ce sujet puisque Myriad Genetics n'a pas livré ses statistiques). Dans les deux cas, les personnes testées reçoivent un conseil génétique, souvent, mais pas exclusivement, par un conseiller génétique (qui, aux États-Unis, n'est pas un médecin ; il s'agit d'une profession à part). Les services de conseil génétique ne sont pas réglementés, et de ce fait, il y a une grande diversité des pratiques.

En France, l'accès aux tests pour mutation dans les gènes BRCA est conditionné par le passage par une consultation en oncogénétique. De telles consultations accueillent des femmes envoyées par leur médecin, mais aussi des personnes auto-référées. Il s'agit de consultations pluridisciplinaires qui proposent en parallèle un suivi et un soutien psychologiques (voir le texte de Claire Julian-Reynier dans ce volume). La recherche des mutations BRCA est couverte par le système d'assurance maladie. En principe il y a donc une égalité d'accès. Dans la pratique, les femmes apprennent souvent l'existence des consultations en oncogénétique soit par elles-mêmes, soit par leur gynécologue, un mode de recrutement qui favorise les femmes de milieu socio-économique plus élevé. Il n'y a pas eu un souci particulier d'assurer l'égalité d'accès à ces services ou de diffuser des connaissances sur la génétique et le cancer parmi les populations plus défavorisées.

En Grande-Bretagne, les cas familiaux de cancers du sein et de l'ovaire se trouvent à l'intersection de deux réseaux : celui des centres régionaux de dépistage et traitement du cancer, et celui des centres régionaux de génétique médicale. Les deux réseaux sont distincts. Le cancer est une pathologie bien plus fréquente que les maladies génétiques, et, par voie de conséquence, la densité des centres anticancéreux est bien plus grande que celle des centres génétiques régionaux. Ces derniers s'adressent en règle générale à une population de plusieurs millions d'habitants (Donai et Elles, 2001). Les utilisateurs des services des centres de génétique médicale doivent être référés par un médecin : le plus souvent un généraliste, plus rarement un spécialiste (consultant). Les personnes qui arrivent au centre sont d'abord prises en charge par les conseillers génétiques (qui, en Grande-Bretagne aussi, ne sont pas des médecins mais des personnes qui ont suivi un enseignement spécialisé). Leur tâche est d'établir les arbres généalogiques, puis de diriger la personne vers le spécialiste approprié. Si une maladie génétique est identifiée, le conseiller génétique assure le suivi de toute la famille. Il est chargé de la coordination avec le généraliste de la famille et avec d'autres services médicaux ; il assure, si nécessaire, les visites à domicile. Avec d'autres services médicaux impliqués, il se charge de rappeler les dates des tests de dépistage réguliers et propose un conseil prénuptial et prénatal.

L'approche active du suivi des maladies génétiques fut aussi transposée à la gestion des prédispositions héréditaires des cancers du sein et de l'ovaire. Le développement des tests pour les mutations BRCA en Grande-Bretagne fut façonné par le double souci de l'égalité d'accès aux tests, et du contrôle des coûts (Mackay et Ponder, 2001). Afin d'éviter une expansion incontrôlée des tests onéreux, les responsables de NHS ont d'abord estimé le volume « raisonnable » des tests, puis ont construit les modes d'accès à la catégorie « haut risque de cancer héréditaire » en prenant en considération ce volume désirable. La limitation du nombre de tests génétiques exécutés est justifiée par la dissociation entre mesures préventives proposées et les résultats des tests génétiques. En Grande-Bretagne, l'histoire familiale est la seule indication nécessaire pour avoir accès à une surveillance médicale, à des essais cliniques de chimioprévention, et même à une chirurgie préventive. Selon les experts britanniques l'avantage principal des tests génétiques est de permettre à la fraction des femmes classées au départ à haut risque en fonction de leur histoire familiale – celles qui n'ont pas hérité d'une mutation familiale identifiée – de quitter cette catégorie.

En parallèle, le souci d'équité d'accès de toutes les femmes aux tests a motivé un réel effort pour familiariser l'ensemble des médecins généralistes avec les critères du risque héréditaire de cancers du sein et de l'ovaire (Emery et Hayflick, 2001). Les généralistes sont invités à interroger leurs patientes sur l'histoire familiale du cancer, et, en cas de soupçon de présence d'un cancer familial, de les diriger vers le centre régional de génétique. Ils sont aussi sensibilisés au fait que des femmes de milieu socio-économique défavorisé peuvent avoir plus de difficultés pour discuter de ces questions avec leur médecin, et sont invités à consacrer un effort particulier pour s'assurer que le message sur les formes héréditaires de cancer est reçu correctement par toutes leurs patientes (de Bock *et al.*, 2001). En effet, une étude comparative sur les utilisatrices des services d'oncogénétique à Marseille, Montréal et Manchester indique que dans cette dernière ville, le niveau d'éducation moyen des utilisatrices de ces consultations est nettement plus bas qu'à Marseille et à Montréal (Bouchard *et al.*, 2004). En revanche, dans les trois villes très peu parmi les utilisatrices de ces consultations appartenaient à des minorités ethniques. Cette observation indique probablement la persistance des limites d'accès à des services médicaux avancés, même quand de tels services sont offerts gratuitement par un système d'assurance maladie national (Julian-Reynier *et al.*, 2001).

LES MUTATIONS ASHKENAZI : MULTICULTURALISME ET GÉNÉTIQUE ?

La grande majorité des mutations des gènes BRCA1 et 2 sont des mutations « privées », qu'on ne trouve que dans une seule famille. Cependant, les chercheurs ont aussi identifié un certain nombre de mutations « publiques » (*founder mutations*) présentes dans une population donnée (par exemple parmi les habitants d'Islande, de Norvège, de Suède, de Chine du Sud, du Québec, de Pologne, des Philippines). Parmi ces mutations « publiques », trois ont une place particulière : les « mutations Ashkenazi » (187delAG, 5385insC et 6174 delT) trouvées parmi les Juifs originaires d'Europe de l'Est (Levy-Lahad *et al.*, 1997 ; Sturewing *et al.*, 1997). Une parmi les trois mutations « Ashkenazi », le BRCA1-5382insC, est aussi présente dans les populations russes et polonaises, et une autre 185delAG, a été trouvée en Pologne (Tereschenko *et al.*, 2002 ; Mankiszak *et al.*, 2003 ; Perkowska *et al.*, 2003). Un test unique pour ces trois mutations fait partie des services standard proposés par Myriad Genetics. Le prix de ce test (appelé *multisite analysis*) est de $415 ($625 pour un test accéléré). En outre, si le résultat est négatif et que la femme testée veut connaître son statut génétique, elle peut avoir une réduction sur le prix du séquençage complet des gènes BRCA1 et 2 ($2 675 au lieu de $2 975).

La susceptibilité des femmes d'origine Ashkenazi aux formes héréditaires de cancer du sein est fortement visible aux États-Unis. Ainsi, sur la fiche d'information sur le malade envoyée avec les échantillons de sang à Myriad, figure l'indication « origines » (*ancestry*) avec 9 choix possibles : Europe Occidentale et du Nord, Europe Centrale et de l'Est, Amérique Latine et Caraïbes, Afrique, Asie, Moyen-Orient, Amérindien (*native american*), Ashkenazi et autre. Une telle division, qui met en avant les origines géographiques et ethniques des personnes testées, peut être mise en rapport avec les divisions raciales/ethniques officielles du recensement de la population aux États-Unis. Pendant longtemps, le recensement a inclus trois races (blanche, noire, amérindienne) ; récemment le bureau du recensement a ajouté une quatrième race, asiatique (aux États-Unis, le terme race est largement utilisé dans des documents officiels et il ne comporte pas de guillemets), et une ethnie – hispanique (Nobles, 2000 ; Krieger, 2000).

L'existence d'un test génétique « multisite », simple et (relativement) peu onéreux pour les trois mutations Ashkenazi, encourage la demande de tels tests, et par voie de conséquence, la perception (et l'autoperception) des femmes d'origine juive comme ayant un risque très élevé de cancer du sein. Cette vision est partagée par certains assureurs. Ainsi des instructions issues de l'importante HMO Aetna (Clinical Policy Bulletin N° 0227) stipulent que l'assurance va rembourser un test BRCA si la femme « a un danger accru de mutation à cause de ses origines ethniques », par exemple les origines juives d'Europe de l'Est. Il suffit alors d'avoir un seul apparenté du premier degré avec un cancer du sein ou de l'ovaire à n'importe quel âge pour obtenir le remboursement d'un test génétique. Cette libéralisation de l'accès aux tests peut être influencée par le faible prix de ce test : si les tests « multisite » d'une femme d'origine Ashkenazi s'avèrent négatifs, la poursuite de la recherche des mutations BRCA est soumise aux mêmes restrictions que celle des tests génétiques dans la population générale. De même, le document sur l'évaluation des risques cancéreux du HMO Hayes énumère l'origine Ashkenazi parmi les éléments – telle la présence simultanée d'un cancer du sein et de l'ovaire chez un apparenté de premier degré, ou un cancer bilatéral chez une femme jeune – indicatifs de l'existence d'un risque élevé de cancer familial.

Les origines juives Ashkenazi sont prises en considération pour l'exécution des tests pour les mutations BRCA en Grande-Bretagne, bien que leur visibilité soit beaucoup plus faible qu'aux États-Unis. En revanche, de telles considérations ne sont pas mises en avant en France. Les origines Ashkenazi peuvent influencer l'organisation du travail dans le laboratoire (si ces origines sont connues, on cherchera en priorité des mutations identifiées) mais non la décision d'effectuer un test. Avoir des ancêtres Ashkenazi n'est pas perçu en France comme un facteur de risque distinct, et on applique aux femmes d'origine juive les mêmes critères qu'aux femmes de la population générale. Cette pratique est justifiée par le constat que dans une affection familiale le pedigree est le seul critère de classification d'une personne comme étant à haut risque, et d'évaluation du degré d'un tel risque. Ceci est sûrement vrai en principe. Cependant, dans certains cas (familles de petite taille, une majorité de fils, une distribution au hasard), une mutation peut exister sans devenir visible à travers l'histoire familiale. Des études indiquent qu'un tiers environ des femmes d'origine Ashkenazi qui ont développé un cancer du sein ou de l'ovaire se sont avérées être porteuses d'une mutation, malgré l'absence d'une histoire familiale évocatrice (Beller *et al.*, 1997 ; King *et al.*, 2003). Pour cette raison, on propose en Israël à toute femme juive originaire d'Europe de l'Est qui a eu un cancer de l'ovaire de faire un test pour mutations Ashkenazi (Hirsh-Yechezkel *et al.*, 2003). Cette démarche est légitimée par le pronostic grave du cancer de l'ovaire, l'absence de moyens de détection précoce fiables, et l'existence d'une stratégie préventive efficace, l'oophorectomie. Un dépistage systématique des mutations dans une population cible, couplé avec la multiplication de la description des mutations « publiques », pose pourtant le problème de la création croissante des « profils ethniques » des maladies.

MUTATIONS DES GÈNES BRCA ENTRE UNIVERSEL ET LOCAL

L'aspiration de Myriad Genetics d'obtenir des brevets valables dans le monde entier reflète l'universalité des connaissances et des techniques de la biologie moléculaire. Mais, si les gènes BRCA – et les mutations dans ces gènes – sont identiques partout, la signification de ces mutations ne l'est pas. L'universalité de la biologie moléculaire, la densité des échanges au sein de la communauté de génétique médicale, et les stratégies mondiales des firmes de biotechnologie peuvent masquer l'existence de différences importantes dans les usages locaux des produits et des techniques (Eisinger *et al.*, 1999 ; Julian-Reynier *et al.*, 2001 ; Bouchard *et al.*, 2004). L'entité « risque héréditaire de cancer du sein » est façonnée par un alignement des arrangements techniques, professionnels et administratifs. De tels alignements dépendent des variables suivantes : les méthodes utilisées pour calculer le risque, les techniques employées pour mettre en évidence des mutations, l'accès aux tests génétiques, la division du travail au laboratoire et dans la clinique, ou les solutions proposées aux personnes à haut risque. Ce qui met en relief l'importance du cadre institutionnel et légal, des traditions professionnelles, et la division du travail médical, autant d'éléments qui peuvent varier d'un pays à l'autre, mais aussi à l'intérieur d'un même pays.

Les débats publics sur les tests génétiques sont focalisés soit sur des sujets d'ordre général comme la question de la légitimité des brevets sur les gènes humains ou les dilemmes moraux liés aux tests génétiques pour des maladies en absence de méthodes fiables de prévention, soit sur les choix individuels difficiles liés à l'introduction de ces tests et aux problèmes psychologiques des femmes testées (Healy, 1997 ; Levy-Lahad et Plon, 2003). Il s'agit sans doute de questions très importantes. Néanmoins, les débats publics font souvent l'impasse sur des questions classées comme techniques ou professionnelles. Les différences dans les pratiques – si elles sont mentionnées – furent souvent classées dans la catégorie « variables culturelles » : la différence entre protestants et catholiques, ou pays du Nord et ceux du Sud, ou les représentations culturelles du corps, du risque ou de la responsabilité (Eisinger *et al.*, 1999 ; Bouchard *et al.*, 2004). De telles différences sont sans doute importantes. Cependant, on néglige souvent de prendre suffisamment en considération la culture qui affecte le plus directement la compréhension des variables relatives à la santé – celle de la médecine contemporaine. On peut, par exemple, argumenter d'une manière convaincante que les femmes françaises accordent plus d'importance à leurs seins que les femmes nord-américaines, et défendre tout autant l'opinion opposée. Il est difficile par contre de disputer le fait que des opérations visant l'augmentation de volume des seins – une démarche qui n'existe pas hors culture professionnelle de la chirurgie plastique – sont beaucoup plus populaires en Amérique de Nord (Haiken, 1997).

Dans toutes les sociétés humaines, les maladies sont en même temps des entités biologiques et sociales. Dans les sociétés occidentales, l'articulation entre le biologique et le social se fait le plus souvent à travers des savoirs et des pratiques développés par des chercheurs, des médecins et des administrateurs de la santé (Rosenberg, 2003). Les techniques et les procédures, la division du travail dans l'hôpital et dans le laboratoire, ou les décisions des gestionnaires de la santé intègrent des éléments de culture générale, et en même temps modifient cette culture. Cependant, l'incorporation des valeurs dans des techniques matérielles, sociales et discursives de la biomédecine reste souvent peu visible, et donc peu examinée. Si on regarde l'ensemble des études consacrées aux conséquences sociales et culturelles des tests des mutations dans les gènes BRCA, on se rend compte du déséquilibre entre le nombre des études centrées sur les utilisatrices des tests et le nombre de celles qui s'intéressent directement aux pratiques des chercheurs et des médecins. De telles études sont pourtant essentielles pour appréhender pleinement la perception individuelle et collective du risque héréditaire du cancer de sein et de l'ovaire, ainsi que les différences nationales et locales.

Enjeux de la régulation professionnelle dans le champ de la génétique du cancer

P. Bourret

L'activité clinique de génétique du cancer entre actuellement dans une phase nouvelle. Les consultations de génétique du cancer et la réalisation de tests de susceptibilité, connaissent, depuis la fin des années 90 un développement particulièrement rapide. Ce dernier est associé à une plus grande visibilité médicale et sociale de ces pratiques (Sevilla *et al.*, 2004). Celles-ci font en effet l'objet de l'attention des tutelles, comme en témoignent la mise en place au cours des dernières années de cadres régulatoires[1] et d'un financement national spécifique. Pour autant, la régulation de la génétique du cancer ne peut pas être réduite à ces seules opérations « visibles », lancées récemment par des agences de l'État. Dès la création des premières consultations, la régulation de l'activité de génétique du cancer a été au centre des réflexions et des

[1] Voir notamment le décret n° 2000-570 du 23 juin 2000, fixant les conditions de prescription des examens des caractéristiques génétiques des personnes, et les conditions d'agrément et d'autorisation à la pratique des praticiens et l'arrêté du 2 mai 2001, publié au *Journal Officiel* du 12 mai 2000, fixant les modalités de déclaration des *équipes pluridisciplinaires* auxquelles doivent appartenir les médecins qui prescrivent des examens des caractéristiques génétiques pour des personnes asymptomatiques présentant des antécédents familiaux.

actions des professionnels impliqués dans ces pratiques. Ce chapitre propose une première exploration des formes et des enjeux de cette régulation professionnelle, en particulier dans le champ des cancers du sein et de l'ovaire et des tests BRCA.

NORMALISATION ET « EVIDENCE-BASED MEDICINE » : DES CONTRAINTES POUR LES MÉDECINS ?

Par « régulation » on désigne le plus souvent un processus mis en place ou développé par des agences officielles de l'État (telle que l'ANAES en France) visant à proposer des cadres, normes et standards de pratiques médicales, afin d'en réduire l'hétérogénéité, d'en améliorer l'efficacité et d'accroître l'efficience globale du système de santé. La régulation ainsi entendue est un phénomène à forte dimension économique, qui s'inscrit dans le mouvement croissant de rationalisation du système de soins (Kerleau, 1998 ; Mossé, 1998). La régulation par les agences officielles de l'État est, comme nous l'avons indiqué, la plus visible, mais elle n'est pas la seule forme de régulation. Un deuxième niveau de régulation renvoie au développement d'une « Evidence-Based Medicine » (EBM) (Sackett *et al.*, 1996), c'est-à-dire à des interventions initiées par des représentants du corps médical et conduisant à la définition de standards, recommandations et « bonnes pratiques » cliniques. Ces deux niveaux de régulation, s'ils mettent en scène des acteurs différents sont cependant étroitement articulés, les agences de l'État prenant appui sur des produits de l'EBM pour développer leur propre intervention.

Une importante littérature professionnelle a été développée sur les risques que présente pour la profession médicale, l'introduction, par des instances externes ou internes à la profession, de normes et standards, notamment une réduction de leur autonomie, qui est la caractéristique centrale de la profession médicale (Freidson, 1984), et l'accroissement des possibilités de contrôle par des instances externes (ou des élites médicales, considérées comme « extérieures »). D'autre part, l'EBM est présentée comme porteuse d'une conception scientifique, statistique et épidémiologique de la médecine, en contradiction avec la conception traditionnelle de la clinique comme « art », mobilisant des savoir-faire et connaissances tacites, et centrée sur les caractéristiques et besoins d'un patient individuel (Armstrong, 2002 ; Bensing, 2000). À côté de ce débat entre défenseurs et critiques, certaines analyses proposent une vision moins manichéenne de la normalisation. Ces travaux sociologiques mettent en relief le fait que les protocoles et guidelines médicaux ne sont généralement pas applicables directement et nécessitent, de la part des médecins, dans leurs contextes locaux, un important travail d'adaptation et d'appropriation (Berg, 1997 ; Castel & Merle, 2002 ; Timmermans & Berg, 2003). Dans le cas étudié par Castel & Merle en cancérologie, par exemple, l'imprécision des guides de pratiques est à l'origine d'un travail collectif d'élaboration de leur usage, qui renforce la coordination des acteurs et génère un processus d'apprentissage. Ces guides de pratiques ne constituent donc pas une contrainte mais une ressource pour ces professionnels. Loin d'être un acte passif correspondant à la simple application d'une recette et signifiant une perte d'autonomie, la mise en œuvre de standards, guides et protocoles est vue par cet ensemble d'auteurs comme un travail actif au cours duquel les acteurs médicaux transforment non seulement leur pratique mais le standard lui-même (Timmermans & Berg, 2003). Ces travaux sociologiques conduisent à analyser la régulation comme un processus plus large et plus complexe que la simple application de normes de pratiques clairement définies par des acteurs bien identifiés. Dans cette perspective, elle est abordée comme le processus qui produit simultanément une stabilisation (provisoire) des connaissances, techniques et modalités de pratique et leur inscription dans l'espace social (point d'entrée, services, filières spécifiques et identifiables dans le système de soin ; demande sociale et recours à ces services). Ce processus est le résultat de la combinaison et de l'articulation de différents modes et niveaux d'intervention, par différentes catégories d'acteurs (professionnels et institutionnels) et ce, dès le début du processus d'innovation (Keating & Cambrosio, 2003). En effet, cette perspective conduit à revenir également sur les découpages temporels sur lesquels la plupart des analyses portant sur la régulation des pratiques médicales prennent, plus ou moins explicitement, appui. Parce qu'elles s'intéressent préférentiellement à ces opérations officielles, qui interviennent généralement dans un deuxième temps, lorsque les techniques et pratiques en question ont déjà en partie été stabilisées, ces analyses tendent à réduire la régulation à cette seule phase. Le processus d'innovation et le processus de régulation, même s'ils sont articulés, sont vus comme deux processus distincts. Dans le cas des consultations et tests génétiques relatifs au cancer du sein et de l'ovaire, la régulation, comme nous allons le voir, a accompagné dès les toutes premières phases la définition et la mise en place des pratiques, contribuant ainsi à leur élaboration.

RÉGULER DES PRATIQUES INSTABLES

Évaluer au cours d'une consultation le risque de prédisposition d'une personne à un cancer du sein ou de l'ovaire, prescrire un test BRCA, interpréter ce test, rendre son résultat, définir une prise en charge préventive pour une personne ayant un risque élevé de ce cancer, ne constituent pas des actes banals s'inscrivant sans aucune difficulté dans la continuité des pratiques médicales. Si l'on peut rattacher ces différents éléments à des actes habituels de la pratique médicale, leur combinaison produit une configuration et une visée nouvelle : prévenir le cancer sur la base d'un risque génétique. Cette activité nouvelle se caractérise de plus par le fait qu'elle n'est pas encore à ce jour entièrement définie et stabilisée. Sans développer ce point abordé dans d'autres chapitres de cet ouvrage, rappelons que la réalisation et l'interprétation des tests prédictifs et la prise en charge du risque sont rendues particulièrement complexes, notamment dans le cas du cancer du sein et de l'ovaire, par la présence d'incertitudes, qui concernent tous les aspects de la pratique : la connaissance des gènes et des mutations impliqués dans la susceptibilité ; les techniques permettant leur identification ; les connaissances relatives au risque de cancer associé à une mutation, dont de récentes études tendent à montrer la variation importante selon les mutations, les populations, et le nombre de cas familiaux (Antoniou *et al.*, 2003 ; Risch *et al.*, 2001) ; et enfin, les stratégies de prise en charge des personnes à risque, confrontées d'une part au manque de données sur l'impact des stratégies peu agressives (comme le dépistage mammographique), et d'autre part à la radicalité des interventions dont l'efficacité est considérée comme acquise (la chirurgie prophylactique). Malgré ce degré élevé d'incertitude, des pratiques cliniques conduisant à des décisions et interventions médicales pouvant affecter les patients de façon majeure (révélation d'une prédisposition à un cancer, mammectomie, ovariectomie, etc.) se développent très rapidement.

Dans ce contexte d'émergence et de connaissances incomplètes, lorsqu'on examine les modalités des pratiques et l'activité des professionnels, deux éléments attirent l'attention. Le premier est le cadre étroitement délimité dans lequel prennent place consultations et tests génétiques, réalisés dans un contexte hospitalier – centre de lutte contre le cancer et CHU dans la très grande majorité des cas – et dans le cadre d'équipes pluridisciplinaires associant généticiens, cancérologues, biologistes, et assez fréquemment psychologues ou psychiatres. Le fait marquant est qu'il s'agit de pratiques « réservées », mises en œuvre par un petit nombre de spécialistes (une cinquantaine de cliniciens en France), lesquels sont organisés dans un réseau collaboratif national – le Groupe Génétique et Cancer (GGC). Ce réseau, constitué sur un mode informel dès la création des premières consultations à la fin des années 80[2], s'est rapidement étendu pour inclure la quasi totalité des cliniciens assurant des consultations, et une partie des biologistes assurant les analyses. Toutes les équipes cliniques réalisant des consultations pour les cancers du sein et des tests BRCA sont représentées dans le groupe. Le second trait marquant est que ces pratiques ont fait très rapidement l'objet d'une régulation professionnelle « interne ». En effet, les cliniciens et biologistes impliqués dans leur mise en place, se sont attachés simultanément à définir des protocoles de consultations, des « bonnes pratiques » et des « recommandations cliniques », portant sur l'ensemble des éléments constitutifs de l'activité : contenu et organisation des consultations, communication de l'information, communication du risque, élaboration de l'arbre généalogique, prélèvements sanguins, réalisation des tests génétiques, modalités de rendu des résultats, stratégie de dépistage ou suivi spécifique. Dès 1995, des recommandations pour l'organisation des consultations d'oncogénétique, ont été publiées par le GGC (Eisinger *et al.*, 1995a, 1995b). Issues d'une réflexion menée au sein du groupe, ces « recommandations » définissaient le cadre général de la réalisation de la consultation, en précisant ses objectifs, ses principes directeurs et ses différentes étapes. En 1998, une « expertise collective » INSERM/FNCLCC portant sur la prise en charge des femmes à risque de cancer du sein et de l'ovaire a été réalisée, une part importante des experts étant des membres du GGC (Eisinger *et al.*, 1999). La mise à jour de ces recommandations (dont le présent ouvrage est issu) a eu lieu en 2003.

La définition de recommandations et standards consiste, généralement, à identifier et à évaluer les différentes stratégies thérapeutiques ou de prise en charge médicales existantes, à définir la ou les stratégies optimales et à mettre en place des normes et un contrôle de qualité. Le « gold standard » en la matière consiste à réaliser une telle évaluation à partir des résultats d'essais cliniques controlés et randomisés. Dans une perspective historique, le développement des essais controlés avait précisement pour objectif de permettre la substitution de données issues d'une méthodologie impersonnelle aux jugements d'experts (Marks, 1999). Toutefois, ces

---

[2] Son existence est devenue officielle en 1992 par son rattachement à la FNCLCC.

données ne sont pas toujours disponibles et des cadres méthodologiques adaptés au différents types de données ont été définis. Dans le champ de la cancérologie, le vaste programme SOR, lancé en 1993 par la FNCLCC, vise ainsi la définition de Standards (niveau de preuve le plus élevé), Options et Recommandations (niveau de preuve le moins élevé) pour les prises en charge thérapeutiques de l'ensemble des localisations de cancer. La définition, en 1995, de recommandations pour l'organisation des consultations de génétique du cancer a été rattachée à ce programme[3]. Cependant, ni les pratiques, ni les connaissances, ni les techniques n'étant stabilisées, cette opération ne pouvait correspondre à une évaluation des différentes options et à la définition d'options optimales. De même la production de ces recommandations ne pouvait prendre appui sur des essais randomisés. Dans ce contexte, on est amené à s'interroger sur la nature du travail réalisé au cours des deux principales opérations de régulation, la définition de recommandations pour l'organisation des consultations en 1995 et l'expertise collective sur la prise en charge des personnes à risque, en 1998. Ne pouvant présenter une analyse détaillée de leur élaboration et de leur contenu, nous nous centrerons sur leurs caractéristiques principales.

Les objectifs des recommandations élaborées en 1995 étaient définis de la façon suivante : « Évaluer un risque génétique de cancers. Proposer **quand cela est possible** une attitude de surveillance adaptée au risque. Proposer **quand cela est indiqué et réalisable**, une recherche moléculaire sur les gènes de prédisposition. Assurer une prise en charge des conséquences psychologiques de la présomption ou la connaissance d'un risque héréditaire. Assurer un suivi à long terme des individus et des familles » (nous soulignons). Mais, en dehors du rappel précis des règles juridiques permettant au médecin d'ajuster sa pratique, les modalités cliniques proprement dites ne sont pas réellement détaillées dans le texte. Ces recommandations opèrent plus sur un mode négatif que sur un mode positif : elles énoncent ce qui doit être évité, ce qui n'est pas acceptable[4], plutôt que des procédures précises. Le texte définit les étapes du processus clinique et les principes déontologiques qui doivent structurer ce processus, et met en avant trois critères de qualité, formulés également sur un mode très général : l'homogénéité des pratiques et la formation des acteurs ; la pluridisciplinarité et le travail collectif ;

---

[3] Eisinger, 1995a.

[4] Le non-respect des règles juridiques est un des premiers points jugés « non acceptable ».

l'évaluation des pratiques. Mais ces recommandations sont loin de constituer un manuel délivrant des instructions à portée opératoire, applicable directement par les praticiens.

Ce caractère général, relativement imprécis, des recommandations caractérise également, mais avec des nuances[5], l'expertise collective de 1998. D'emblée, le texte (Eisinger, 1999) indique : « *l'objectif n'est pas tant de décrire des standards médicaux qu'un cadre organisationnel s'appuyant sur des règles juridiques et/ou déontologiques et sur des recommandations d'experts* ». En effet, le problème, auquel a été confronté en 1998 ce groupe d'experts constitué pour évaluer et définir la prise en charge des femmes à risque génétique de cancer du sein, a été le manque d'études et de données solides. Cependant, ces experts n'ont pas considéré comme acceptable de ne pas proposer un suivi aux femmes chez lesquelles une prédisposition est identifiée (ou fortement suspectée) : « *Malgré l'absence d'argument scientifique définitif sur l'efficacité des prises en charge médicales, la position du groupe est que l'absence de prise en charge spécifique des femmes à haut risque n'est pas acceptable* ». Cette prise de position est une illustration du type de travail effectué par ces experts. Le processus d'expertise a consisté, sur la base des données incomplètes disponibles, à produire des consensus et jugements d'experts, autrement dit des conventions, sur les prises en charge pouvant être proposées aux consultantes. Le dépistage mammographique, peu agressif et déjà recommandé en population générale, a été recommandé malgré l'absence d'éléments attestant de son efficacité pour une population à risque génétique. En ce qui concerne les autres stratégies – chirurgie prophylactique, chimioprévention – les experts ont fixés de façon consensuelle des seuils de risque par rapport auxquels elles sont considérées comme acceptables/envisageables ou inacceptables/inenvisageables, une large zone d'indécision persistant entre ces deux seuils.

En résumé, une première caractéristique commune de ces opérations de régulation est de ne définir ni des procédures précises, ni des instructions de nature opératoire. Plutôt qu'un contenu, elles produisent un cadrage conventionnel de l'action en délimitant les principes de base sur lesquels doivent être fondées les pratiques tout en identifiant les pratiques à exclure. Ce cadrage conventionnel définit, simultanément, les

---

[5] Ces recommandations sont en effet moins générales, dans la mesure où elles portent sur les modalités de prise en charge des personnes à risque et non sur l'organisation globale des consultations.

conditions de la légitimité des actions. Une deuxième caractéristique commune est la nature non définitive de ces recommandations. Elles sont expressément et explicitement inscrites dans un processus ouvert de définition et de redéfinition, dépendant de la disponibilité de nouvelles données et connaissances. La construction de consensus sur ce qui constitue des incertitudes, au moment où ces opérations sont menées, devient ainsi partie du processus d'élaboration de recommandations. La régulation, dont l'objectif est de stabiliser les pratiques et leurs modalités de réalisation, produit ici des entités dont les acteurs s'attachent à souligner le caractère instable et provisoire.

CONCLUSION : RÉGULATION ET JUGEMENT COLLECTIF

Comment analyser le rôle de cette régulation professionnelle, si elle n'aboutit pas à la production de normes de pratiques précises, opératoires et instrumentales ?

Une première réponse consiste à analyser les processus de régulation sous l'angle de la question de la légitimation des innovations biomédicales. Les interventions régulatrices de l'État comme celles des professionnels, participent à la transformation des innovations en pratiques « légitimes », « normales » et acceptées, dont dépend leur déploiement dans le champ médical et dans l'espace social (Baszanger *et al.*, 2000). Dans une perspective plus stratégique, d'autres auteurs soulignent comment l'élaboration par les praticiens de normes de pratiques même imprécises, peut être utilisée par ceux-ci comme une « source de légitimation » vis-à-vis de l'extérieur, notamment vis-à-vis des « régulateurs du système de soin » (Castel & Merle, 2002). En mettant eux-mêmes en place des normes, les professionnels devancent les interventions de l'État, modèrent le contrôle exercé par ce dernier et accroissent ainsi leur autonomie. La question de la légitimité tant médicale que sociale des pratiques cliniques et des tests prédictifs, se pose tout particulièrement dans le cas de la génétique du cancer. L'engagement des professionnels dans un travail de régulation contribue sans aucun doute, dans ce contexte, à produire de la légitimité, aussi bien vis-à-vis des tutelles que des patients potentiels. Cependant, ne voir dans cette régulation qu'une source ou un moyen de légitimation, dans une perspective plus ou moins stratégique serait réducteur. Comme nous l'avons souligné, dans le cas de la génétique du cancer, les opérations de régulation réalisées par les professionnels, l'ont été avant toute stabilisation des pratiques. Elles accompagnent leur élaboration, depuis la phase initiale d'innovation. De plus, ces opérations « visibles », ayant donné lieu à publications, ne constituent qu'une partie d'un travail continu de définition, d'ajustement, d'harmonisation des pratiques, d'élaboration de connaissances et de construction d'une expertise, qui prend place au sein d'un ensemble de configurations collectives d'acteurs : équipes pluridisciplinaires au niveau local, et réseau collaboratif national – GGC (Bourret, sous presse, 2005). Ces différents « collectifs » jouent un rôle central dans la mise en œuvre des pratiques : en assurant la combinaison et la coordination des ressources et des compétences, ils contribuent à produire les conditions matérielles de réalisation des pratiques au niveau local. Ils interviennent dans l'élaboration des décisions cliniques (au sein des équipes locales, mais aussi au sein du GGC). Ils participent à la production d'outils et données nécessaires à la réalisation du travail clinique (données épidémiologiques, estimations de risque, modalités de calcul du risque génétique, par exemple) mais, surtout, ils participent à la construction des entités et des outils – critères communs de jugement, consensus, conventions, recommandations et guidelines – qui permettent *la réalisation effective* des pratiques cliniques. Le GGC a ainsi été, comme nous l'avons souligné, le lieu d'une réflexion et d'une activité régulatoire interne, et l'initiateur d'opérations d'expertise collective et de définition de recommandations.

Le manque de précision, l'instabilité, le caractère ouvert et provisoire qui caractérisent les produits de cette régulation professionnelle, peuvent poser problème si on les conçoit comme des outils ou des produits finis, mis à la disposition de tout praticien individuel. Ce n'est plus le cas, par contre, si on les aborde comme des instruments qui manifestent et prolongent le processus d'ajustement et de coordination des acteurs et le processus de construction de jugements collégiaux au sein de ces collectifs. En d'autres termes, ces outils régulatoires, conventions et règles de pratiques, ne paraissent pas, pour l'instant, pouvoir être dissociés de l'intervention de ces collectifs. Leur caractère provisoire suppose leur réexamen périodique. Nous avons souligné qu'un des principes directeurs énoncés dans ces recommandations est d'inscrire les pratiques dans un cadre et une démarche collectives et pluridisciplinaires : « *Le travail en équipe est une nécessité de même que la mobilisation de ressources et de compétences sur des problèmes cliniques posés par ces consultations* » (Eisinger, 1995a, p. 875). Ce principe peut être lu comme la « recommandation » majeure au sein de ces recommandations. Il signale une tendance observable dans une diversité de champs des pratiques médicales, particulièrement marquée dans le cas des pratiques de génétique du cancer, à savoir le glissement du lieu de la construction du jugement et de l'expertise médicale du praticien individuel vers des configurations collectives et pluridisciplinaires d'acteurs : équipes pluridisciplinaires, groupes d'experts, groupes de définition de guidelines et recommandations, réseaux de collaboration clinique et de recherche, entités collectives qui incluent en plus des cliniciens, des biologistes, mais aussi des experts en épidémiologie et biostatistiques. L'exploration des pratiques de génétique du cancer met ainsi en évidence des enjeux du travail – formel et informel – de « régulation » professionnelle qui dépassent la seule question de la légitimation. Non seulement cette régulation apparaît comme une condition de possibilité de la production et de la mise en œuvre de ces pratiques nouvelles et incertaines, mais elle signale l'émergence de formes collectives de construction du jugement et de la décision médicale, dont la place et le rôle dans l'évolution du champ biomédical doivent être analysées.

Origine et signification économique de l'évolution du droit de propriété intellectuelle sur les gènes humains

F. Orsi

Les brevets sur les gènes constituent une nouveauté dans le domaine du droit des brevets en ce qu'ils portent sur des résultats de la recherche de base sur le génome humain et bénéficient de revendications souvent très étendues, pouvant comprendre des applications « futures » et « potentielles » des gènes. Ces nouveaux types de brevets confèrent ainsi à leurs détenteurs des positions de monopoles très larges pouvant avoir des répercussions majeures sur le processus de recherche et d'innovation.

Cet article propose de rendre compte de ces enjeux soulevés par l'avènement de la brevetabilité des gènes.

Afin de mieux en saisir la portée, un premier paragraphe présente brièvement la vision économique traditionnelle du rôle et de la place des brevets dans le processus d'innovation.

En traitant le cas des États-Unis, lieu d'émergence de la brevetabilité des gènes, un deuxième paragraphe montre comment est née cette nouvelle règle de droit et comment celle-ci marque une rupture radicale avec certains des fondements économiques du droit des brevets prévalant jusque-là.

Sur cette base, l'article expose les conséquences de ce changement sur la recherche et l'innovation et met l'accent sur la critique grandissante aux États-Unis formulée à l'encontre de la brevetabilité des résultats en amont de la recherche.

Enfin, à la lumière de l'expérience américaine un dernier paragraphe discute des orientations législatives prises par l'Union européenne en matière de brevetabilité des gènes.

LE BREVET DANS LA VISION ÉCONOMIQUE TRADITIONNELLE : L'IMPORTANCE DU PRINCIPE DE FRONTIÈRE ENTRE ACTIVITÉS DE RECHERCHE « AMONT » ET « AVAL »

Classiquement le brevet a pour rôle d'inciter à l'investissement du secteur privé dans les activités de recherche en conférant au détenteur du brevet un monopole partiel et temporaire de l'invention. Cependant, la vision économique traditionnelle postule plusieurs limites à ce droit de monopole. La principale d'entre elles consiste à soutenir que pour le bon développement de l'innovation, le monopole concédé sous forme de brevet *ne doit pas concerner les produits de la recherche de base* (Arrow, 1962 ; Nelson, 1959). En raison de leur position très « amont » leur conférant une fonction « d'input » à usages multiples pour les autres activités de recherche, les résultats de la recherche de base, *doivent rester en accès libre à l'ensemble de la communauté des chercheurs.*

Le brevet apparaît donc *comme un élément constitutif d'une frontière entre activités de recherche* « amont » *et* « aval ». Ce principe de frontière explique du même coup pourquoi, la recherche de base était jusque-là réputée relever pour l'essentiel d'un mode d'organisation de type « science ouverte », se caractérisant notamment par une règle de publicité des découvertes, la recherche elle-même devant alors être financée majoritairement sur des fonds publics (Merton, 1973 ; Dasgupta et David, 1994).

En pratique, c'est bien ce principe de frontière qui, jusqu'à une période récente, constituait l'un des fondements du droit des brevets, lequel en opérant une distinction essentielle entre « découvertes » et « inventions », définit que seules ces dernières peuvent constituer des objets brevetables. Si cette distinction entre « découvertes » et « inventions » constitue de façon formelle une spécificité propre à la loi européenne des brevets, dans le cas américain la frontière tient au fait qu'un objet ne peut être brevetable que si est établie l'utilité pratique ou commerciale de l'invention, ce principe excluant les découvertes scientifiques de la brevetabilité (Orsi, 2002). Rappelons qu'aux États-Unis comme dans tous les pays de la *Common Law*, le critère essentiel de brevetabilité est celui « d'utilité » reconnue aux inventions. Notons aussi que ce critère n'est pas défini par la loi sur les brevets, mais relève de la jurisprudence. C'est ainsi que la doctrine en matière d'utilité précédemment citée a été établie par un certain nombre d'arrêts de jurisprudence prononcés dans les années 1960 dont le premier connu sous le nom d'arrêt Brenner Manson fut prononcé par la Cour suprême des États-Unis. Comme cela a clairement été souligné par Rebecca Eisenberg, cet arrêt visait explicitement à considérer les découvertes scientifiques comme ne répondant pas au critère d'utilité en raison du fait que celles-ci ne pouvaient être transformées en résultats utiles (*useful results*), qu'après que soient réalisés par d'autres des travaux supplémentaires (Eisenberg, 1987). En d'autres termes, toujours selon l'auteur, cette doctrine posait nettement que les découvertes scientifiques ne pouvaient répondre au critère d'utilité car considérées comme simples « outils de base » de la science et de la technologie et à ce titre trop éloignées du « monde du commerce ».

L'AVÈNEMENT DE LA BREVETABILITÉ DES GÈNES AUX ÉTATS-UNIS : UNE RUPTURE RADICALE DU PRINCIPE DE FRONTIÈRE

Il convient de situer l'origine de la brevetabilité des gènes aux États-Unis dans deux directions nouvelles et conjointes promues à partir de la décennie 1980 par les pouvoirs publics et les cours de justice.

Au cours de cette décennie, marquée par une perte accélérée de compétitivité des firmes américaines, une orientation radicalement nouvelle des politiques publiques s'opère visant, par un renforcement du système de propriété intellectuelle, à promouvoir et à valoriser la recherche et développement et à favoriser l'innovation. C'est ainsi qu'en 1980 est voté le *Bayh-Dole Act* autorisant les laboratoires publics de recherche à déposer des brevets sur des résultats de la recherche financée sur fonds fédéraux et à céder ces brevets sous forme de « licences exclusives » à des firmes privées américaines (Mowery *et al.*, 1999).

Dans la même période, le domaine du droit de la propriété intellectuelle, connaît lui-aussi une mutation majeure. En 1980, la Cour suprême des États-Unis prononce le fameux arrêt « Chakrabarty » ouvrant ainsi la voie à l'installation d'un nouveau régime de droit de propriété intellectuelle sur le vivant (Orsi, 2002).

Comprendre la portée de cet arrêt de jurisprudence, nécessite tout d'abord de rappeler un autre trait distinctif des pays de la *Common Law* en matière de brevetabilité qui consiste à exclure les « produits de la nature » du champ des brevets. C'est ainsi que selon ce principe l'office américain des brevets (USPTO) fut amené à rejeter un brevet portant sur un micro-organisme génétiquement modifié au motif qu'en tant qu'organisme vivant, ce micro-organisme constituait un « produit de la nature ».

Cependant, après dix ans de conflits juridiques opposant l'USPTO et le déposant, ce fut la Cour suprême des États-Unis elle-même qui renversa la décision de l'office américain des brevets et ce, en arrêtant que le micro-organisme objet du dépôt de brevet ne pouvait être considéré comme « un produit de la nature » puisque ayant nécessité la main de l'homme pour être mis à jour, autrement dit puisque issu d'un processus non naturel. Sur la base de cet arrêt, l'USPTO opéra un changement radical de doctrine reconnaissant désormais la brevetabilité des organismes vivants et plus largement celle du matériel biologique dès lors que ceux-ci relèvent de processus non naturels. C'est ainsi qu'au cours de la décennie 1980 dans la lignée de cette nouvelle doctrine de nombreux brevets ont été délivrés couvrant un grand nombre d'organismes vivants y compris des organismes multicellulaires tels que des mammifères génétiquement modifiés.

Pourtant, en matière de délivrance de brevets sur les gènes, la politique de l'office américain des brevets est restée relativement stricte durant cette décennie, l'office rejetant la plupart des demandes de brevets portant sur du matériel génétique et ce, en raison d'une application stricte du critère d'utilité défini par la jurisprudence (Eisenberg, 2000). C'est ainsi par exemple que l'USPTO refusa au début des années 90 une demande de brevets des *National Institutes of Health*, agence gouvernementale américaine, portant sur plusieurs séquences partielles de gènes pour manque « d'utilité pratique ». L'office, à cette occasion défendit une position spécialement ferme et claire, en soulignant que les séquences publiées dans les demandes de brevets constituaient des outils de base employés dans la recherche et qu'à ce titre elles ne pouvaient répondre au critère d'utilité (Hannett, 1996). Notons en effet que ces séquences partielles constituent de puissants outils de recherche, utilisés à la fois pour l'identification de gènes entiers ou pour le séquençage de l'ensemble du génome, ainsi que pour la recherche de cibles moléculaires d'intérêt thérapeutique.

C'est une nouvelle décision majeure de justice rendue cette fois par la Cour d'Appel du Circuit fédéral en 1995 qui, en relâchant substantiellement le critère d'utilité, va conduire l'USPTO à établir une nouvelle ligne de conduite en matière de brevetabilité des gènes. Dans cette affaire relative à une demande de brevet portant sur un composé chimique, la Cour renversa la décision de l'USPTO de rejeter la demande de brevet pour manque d'utilité en jugeant qu'une invention pouvait répondre au critère d'utilité même si des efforts de recherche et développement ultérieurs devaient être entrepris. Suite à cette décision, qui de fait venait totalement renverser la jurisprudence antérieure, l'USPTO publia de nouvelles lignes de conduite en matière d'utilité (*Utility Guidelines*), à l'attention de ses examinateurs pour recommander une application moins rigoureuse du critère d'utilité notamment en matière de matériel génétique (USPTO, 1995, 2001).

Nous retiendrons de ces *Utility Examination Guidelines*, deux points essentiels permettant d'illustrer la nouvelle doctrine de l'USPTO. Le premier concerne le fait que désormais pour l'USPTO « *une molécule d'ADN ne peut être considérée comme non brevetable en soi pour défaut d'utilité* », l'office précisant que l'utilité d'un tel objet, tel que par exemple les séquences partielles de gènes, pouvait être reconnue « *s'il* (l'objet soumis à brevet) *peut être utilisé pour produire une protéine ou comme marqueur d'un gène de maladie* ». Le deuxième élément à retenir est que désormais « *quiconque découvrant un gène est autorisé à obtenir un brevet sur ce gène ainsi que sur plusieurs de ses applications possibles même si leur utilisation n'est pas démontrée ou qu'une seule est divulguée* » (USPTO, 2001).

En conséquence, c'est un *complet déplacement de frontière entre « découvertes » et « inventions »* qui s'est opéré. Ce sont désormais les résultats de la recherche de base sur le génome humain (gènes de « prédisposition », séquences partielles, etc.) qui font leur entrée dans le champ des brevets, marquant ainsi l'avènement de nouveaux types de brevets offrant une protection très large et située à des phases très préliminaires du processus de recherche. Ainsi, alors que le droit des brevets apparaissait jusque-là comme la frontière délimitant la complémentarité entre connaissances de base et exploitations commerciales de ces connaissances, ce sont ici ces connaissances elles-mêmes qui sont au cœur du système d'appropriation, l'exploitation de ces dernières étant désormais de l'unique ressort du détenteur du brevet.

QUELLES CONSÉQUENCES DE CES CHANGEMENTS SUR LA RECHERCHE ET L'INNOVATION ?

La mutation du droit de la propriété intellectuelle commencée avec l'arrêt Chakrabarty conjuguée aux nouvelles orientations des politiques publiques de recherche amorcées avec le *Bayh-Dole Act* ont conduit à un processus de *privatisation de la recherche académique en science de la vie à des phases très préliminaires* (Orsi, 2002 ; Nelson, 2003 ; Rai et Eisenberg, 2003.) La création aujourd'hui dans toutes les grandes universités américaines d'offices de transferts de technologies conjuguée à la croissance du nombre de brevets détenus par ces universités sur des résultats « amont » de la recherche attestent clairement de ce phénomène (Owen-Smith et Powell, 2001). De nombreuses universités ou organismes publics de recherche sont souvent à l'origine de dépôts de brevets sur des gènes humains qu'ils détiennent en partenariat avec des firmes américaines. Tel est le cas par exemple, d'un brevet sur le gène BRCA1, codétenu par l'université d'Utah, le NIH et la firme Myriad Genetics, cette dernière détenant un droit exclusif d'exploitation commerciale de la découverte, l'accord entre les trois parties prévoyant des versements de royalties sur tout produit émanant du brevet aux deux organismes publics de recherche.

Plus fondamentalement encore, ces changements institutionnels ont ouvert la voie à une véritable marchandisation de la connaissance scientifique (Orsi et Moatti, 2001). C'est ainsi qu'en alliance avec les marchés financiers, des firmes privées ont été en mesure de développer une activité commerciale centrée quasi exclusivement sur la vente de découvertes scientifiques *via* la cession de droits de propriété intellectuelle sur ces découvertes (Coriat et Orsi, 2002).

Ces changements majeurs relatifs aux modalités de production et de circulation des résultats en amont de la recherche ouvrent sur d'importantes questions soulevées notamment par Heller et Eisenberg à propos de « la tragédie des anti-communs » (Heller et Eisenberg, 1998).

Ce concept qualifie une situation dans laquelle plusieurs acteurs étant détenteurs d'une fraction de ressource, chacun possède le droit d'exclure l'autre de l'exploitation de cette fraction, si bien que personne ne parvient finalement à obtenir l'usage effectif de la ressource dans son unicité. Appliquée aux gènes, la situation « d'anti-communs » signifie un morcellement de la connaissance sur le génome en autant de brevets détenus par des acteurs différents, risquant d'entraîner des problèmes de coordination et de coûts d'accès tels que le développement de la recherche ultérieure en serait gravement compromis.

Ces craintes quant aux effets pervers de la multiplication de brevets sur des résultats en amont de la recherche tendent à être partagées par un nombre croissant d'experts juristes et économistes américains. Pour ces auteurs, le processus en cours de privatisation des biens communs scientifiques (les *scientific commons*) met fortement en danger la production d'innovations et par-delà le bien-être des sociétés. Aussi, insistent-ils sur la nécessité d'un retour rapide au *principe de libre accès aux résultats de la recherche de base* (Nelson, 2003 ; Rai et Eisenberg, 2003). Faute d'un tel retour à ce principe qui était traditionnellement à la base de la brevetabilité ainsi qu'au fondement des pratiques scientifiques, le changement de doctrine désormais affirmée aux États-Unis risque de créer d'importants blocages aux processus de production et de diffusion d'innovations majeures.

QUELS ENSEIGNEMENTS POUR L'EUROPE ?

Le 6 juillet 1998 le Parlement européen et le Conseil de l'Union européenne adoptent la directive 98/44/CE relative à la protection juridique des inventions biotechnologiques.

Suivant ses promoteurs, la directive aurait pour objet de réaliser une simple adaptation du régime traditionnel de la brevetabilité à la protection des inventions biotechnologiques, et de favoriser l'harmonisation des législations des états membres en clarifiant l'interprétation du droit en ce qui concerne la matière biologique. Selon M. Rothley, député européen, rapporteur de la proposition de directive pour la commission juridique du Parlement européen, le message fondamental de la directive est de préciser que le droit des brevets s'applique également à la matière biologique vivante ainsi qu'à toutes les inventions la concernant si les conditions traditionnelles de brevetabilité sont respectées (Rothley, 1999). Plus généralement, selon les législateurs européens *« le vivant est incontestablement brevetable. Cela n'est pas une invention de la directive, mais la reconnaissance d'une situation conforme au droit existant* » (Directive 98/44/CE, p. 8381).

Ainsi, en reconnaissant la brevetabilité du vivant, la directive européenne reconnaît non seulement la brevetabilité des plantes et des animaux mais aussi celle des éléments isolés du corps humain, y compris les gènes.

Soulignons cependant que le contenu de la directive a fait l'objet de débats particulièrement controversés, comme en attestent les dix années qui séparent la première proposition de directive de son adoption définitive.

Proposée pour la première fois en 1988 par la Commission européenne, plusieurs fois modifiée, deux fois rejetée par le Parlement européen, cette directive (celle qui aujourd'hui est adoptée et prévaut) a en effet connu de nombreuses vicissitudes. Elle est finalement présentée comme un texte de compromis entre les différentes institutions de l'Union européenne. Ce compromis – tel qu'il se présente et se donne à lire – résulterait d'une large discussion de nature éthique sur la brevetabilité du vivant, discussion qui a d'abord été engagée par le Parlement européen. C'est en effet au titre de considérations éthiques que dans sa version définitive, la directive comporte des articles visant à limiter le droit de la brevetabilité dans le domaine du vivant. Toutefois, la portée pratique du contenu éthique de la directive a fait l'objet de débats vivement controversés chez les spécialistes du droit et de la bioéthique.

Avant de présenter les articles clés de la Directive relative à la brevetabilité des gènes rappelons tout d'abord que pour les opposants, les gènes humains devaient être exclus du droit des brevets car tout d'abord incompatible avec l'article 52a de la Convention sur les Brevets européens (CBE) excluant du champ des brevets les « découvertes ». Ensuite, pour les opposants les gènes devaient être exclus de la brevetabilité car incompatibles non seulement avec le principe de non-commercialisation du corps humain et de ses éléments mais aussi avec l'article 53a de la CBE selon lequel « font exception à la brevetabilité les inventions dont la publication ou la mise en œuvre serait contraire à l'ordre public ou aux bonnes mœurs ».

Finalement, dans le texte de compromis de 1998 l'article 5.1 stipule que : « Le corps humain, aux différents stades de sa constitution et de son développement, ainsi que la simple découverte d'un de ses éléments, y compris la séquence ou la séquence partielle d'un gène, ne peuvent constituer des inventions brevetables ». Selon les législateurs, cet article vise à respecter le principe d'exclusion des découvertes du droit européen des brevets tout en répondant et des exigences d'ordre éthique de non-commercialisation du corps humain.

Toutefois, pour les législateurs, dès lors que les éléments du corps humain sont isolés ou produits par procédés techniques, ces derniers peuvent être reconnus comme inventions brevetables. C'est ce que stipule l'article 5.2 : « Un élément isolé du corps humain, ou autrement produit par procédé technique, y compris la séquence partielle d'un gène, peut constituer une invention brevetable, même si la structure de cet élément est identique à celle d'un élément naturel ».

Malgré toute l'ambiguïté que comportent ces deux articles et en dépit des affirmations des législateurs, selon lesquelles cette directive ne fait qu'adapter le droit européen des brevets à un domaine nouveau sans rien altérer de ses spécificités, il semble bien que le principe de frontière entre « découvertes » et « inventions » pourtant explicitement au fondement de la brevetabilité en Europe soit bel et bien dissolu et rompu et ce, au profit d'une adaptation de la norme de brevetabilité des gènes en vigueur aux États-Unis.

Destinée à être transposée dans les législations nationales des pays membres de l'Union européenne au 30 juillet 2000, cette directive reste vivement contestée aujourd'hui, certains pays européens n'ayant toujours pas effectué cette transposition. En France, par exemple le débat s'est organisé autour du problème de l'incompatibilité de la directive avec l'article 7 de la loi bioéthique 94-653. Explicitement introduit dans le but de fixer une limite à la prise de brevets sur des séquences de gènes, cet article définit que « *le corps humain, ses éléments et ses produits ainsi que la connaissance de la structure totale ou partielle d'un gène humain ne peuvent* en tant que tels, *faire l'objet d'un brevet* ».

Malgré les controverses que suscite encore aujourd'hui la directive dans certains pays membres de l'Union européenne, l'attribution de brevets sur des gènes humains, constitue une pratique déjà effective de l'Office européen des Brevets (OEB). C'est ce dont atteste par exemple l'attribution, à la firme américaine Myriad Genetics de trois brevets européens couvrant le gène BRCA1 et toutes les méthodes diagnostiques et thérapeutiques liées à ce gène.

Soulignons cependant que ces trois brevets font actuellement l'objet de plusieurs procédures d'opposition auprès de l'OEB pour blocage du brevet sur le développement des nouvelles techniques de tests génétiques et ses effets pervers sur la santé publique, principalement. Parmi ces oppositions, notons celle conjointe de l'Institut Curie, l'Assistance publique des Hôpitaux de Paris et l'Institut Gustave-Roussy, ainsi que l'opposition pan-européenne des Sociétés de Génétique et des Instituts de Recherche sur le Cancer de 11 pays différents (voir le texte de M. Cassier dans cet ouvrage).

Lors de l'adoption de la directive, les législateurs européens ont tenu à en souligner l'enjeu pour la recherche et l'innovation en Europe : « ... il convient d'encourager, par le système des brevets, la recherche tendant à obtenir et à isoler de tels éléments (isolés du corps humains) précieux pour la production de médicaments »[1]. Pourtant, à l'heure où la défense du modèle américain est vivement contestée, on peut regretter que l'Europe n'ait pas su engager un véritable débat sur les bien-fondés économiques de la mise en place d'un tel régime de brevetabilité. Cependant, si ce débat s'ouvrait aujourd'hui sur la base des enseignements pouvant être tirés de l'expérience américaine, l'occasion serait alors donnée d'entamer une véritable réflexion sur une voie européenne alternative garante des progrès de la recherche et de la production des innovations en sciences de la vie.

---

[1] Extrait du Considérant 17 de la directive européenne pour la protection juridique des inventions biotechnologiques.

Réguler la pratique des tests BRCA ? Regards sur l'expérience américaine

J.P. Gaudillière

À l'automne 2000, la Secrétaire d'État à la Santé du gouvernement Clinton recevait un volumineux rapport rédigé par un comité d'évaluation des pratiques de test génétique. En conclusion de son travail, ce *Secretary's Advisory Committee on Genetic Testing* (SACGT, 2000a) proposait une série de mesures destinées à améliorer et renforcer la surveillance des tests. Vue d'Europe, et plus spécifiquement de France, la plus surprenante d'entre elles était la recommandation selon laquelle il était urgent de mettre en place un système d'autorisation de mise sur le marché des tests génétiques s'inspirant des dispositifs d'évaluation des nouveaux médicaments.

Du fait de cette conclusion, le rapport du SACGT semble être un écho direct des échanges qui ont, il y a plus de quarante ans, conduit à une réforme de la *Food and Drug Administration* et au développement du système d'autorisations de mise sur le marché des médicaments que nous connaissons aujourd'hui et qui impose le recours aux essais contrôlés pour évaluer toxicité et utilité thérapeutique (Marks, 1997). Comme cela avait été le cas au début des années 60, une forte méfiance à l'endroit de l'industrie et des proclamations un peu trop ronflantes sur l'utilité des innovations pharmaceutiques motivait la demande de régulation du SACGT. La réforme de la *Food and Drug Administration* de 1962 avait été facilitée par le scandale thalidomide et la crainte de voir les producteurs de médicaments favoriser les usages élargis, et non testés, de leurs spécialités (Marks, 2000). En 2000, l'équivalent de la thalidomide était, dans le domaine de la médecine prédictive, la recherche des prédispositions génétiques au cancer du sein et les conditions de développement des tests BRCA par la firme *Myriad Genetics*.

Le débat sur les tests génétiques, leur nature, leurs usages en médecine et leur régulation dure depuis plus de dix ans aux États-Unis. Il a marqué le contexte de recherche des mutations affectant les gènes BRCA dès la publication de leur séquence. Ce débat implique les professionnels, mais pas uniquement, il a aussi d'importantes ramifications dans l'espace public. En 1996, le *Washington Post*, avait par exemple accompagné l'annonce de la découverte de BRCA2 de deux éditoriaux, l'un pour et l'autre contre les tests. De même, l'influente *National Breast Cancer Coalition* qui rassemble des patientes et leurs proches a rapidement commenté et critiqué les conditions de développement des tests BRCA. Il s'agit d'un débat complexe ayant des dimensions scientifiques, administratives, sociales et culturelles. Son intensité et sa durée n'ont toutefois pas beaucoup changé le cadre de développement et de mise en œuvre des tests BRCA. Depuis 1996, celui-ci est resté structuré comme un marché tout à fait théorique où l'offre est réduite aux opérations d'un seul acteur.

Suivre et prendre en compte cette expérience est d'autant plus intéressant que la virulence de la discussion américaine contraste avec la situation française. Non que les spécialistes français n'aient pas abordé les questions de régulation des tests BRCA, mais cela a été fait de façon très différente de ce qui se passait de l'autre côté de l'Atlantique. D'une part, la surveillance de la qualité technique des tests réalisés est assez strictement organisée. Elle fait intervenir des procédures d'accréditation selon des requis définis par les experts de la DGS. D'autre part, les questions touchant à l'usage clinique et à l'utilité des tests ont été largement discutées par les services de cancérologie à l'origine de l'innovation. Leurs avis ont été diffusés par la presse scientifique et médicale, formalisés dans des recommandations de bonne pratique dont l'expertise collective de l'INSERM constitue un bon exemple (INSERM, 1998). On a donc une situation classique de délégation d'expertise de l'État et de la société civile au profit de la profession médicale et de ses spécialistes.

Réfléchir la nature, les dynamiques et les contradictions du débat américain peut donc aider à réfléchir notre propre système et les évolutions qu'il nécessite.

UNE OFFRE MONOPOLISÉE PAR MYRIAD GENETICS

Un premier élément d'importance tient aux effets de l'émergence de ce qu'on peut appeler un « modèle start-up » de production des connaissances sur les conditions d'usage des savoirs génétiques. Dans le régime qui s'est progressivement mis en place dans les années 80, les relations entre sciences biologiques et marché sont devenues plus étroites que dans les anciennes biotechnologies (Gibbons *et al.,* 1994 ; Pestre, 2003 ; Cassier, 2004). Participant pleinement de cette tendance, la firme *Myriad Genetics* a dès le milieu des années 90, réussi à constituer un monopole reposant sur l'obtention d'un panel très complet de brevets BRCA. Les dirigeants de *Myriad* ont de plus inventé une division du travail originale entre leur start-up et ses partenaires de l'industrie pharmaceutique. À la première sont allés les droits exclusifs sur le développement des tests dérivés de la connaissance des séquences BRCA, aux seconds les droits sur leurs utilisations thérapeutiques (Gaudillière et Cassier, 2001). Poursuivant cette logique, *Myriad* a, dès 1996, décidé de valoriser elle-même les applications diagnostiques et a pour cela mis sur pied une plate-forme automatisée. Celle-ci a été intégrée à une filiale spécialisée dans la réalisation des diagnostics moléculaires qui opère la recherche des mutations BRCA par séquençage total du gène. Grâce à un accord commercial avec la firme concurrente *Oncormed* qui spécifiait les conditions de rachat des droits sur BRCA2, *Myriad* a finalement obtenu les moyens d'un contrôle complet sur l'offre de tests. Ceci s'est traduit par le fait que les quelques centres académiques qui avaient, à la fin des années 80, maintenu une activité de recherche de mutations à la frontière entre routine et recherche, comme l'Université de Pennsylvanie, ont dû cesser leur activité sous la menace de procès en contrefaçon.

Ce monopole n'est qu'un aspect du cadre marchand dans lequel est organisée la pratique des tests BRCA aux États-Unis. Une seconde caractéristique est la disjonction entre suivi médical et réalisation technique de la recherche de mutation. Le dispositif créé par *Myriad Genetics* repose en effet sur la généralisation du système présidant à la réalisation de la plupart des examens biologiques. Comme un dosage de glucose, l'analyse d'ADN est définie comme une activité technique dont le principal enjeu est la validité analytique. Celle-ci est perçue comme d'autant mieux garantie que les services qui en ont la charge sont plus spécialisés. Comme pour les autres tests biologiques, la demande doit répondre aux conditions générales d'exercice de la médecine. *Myriad* se contente donc de vérifier qu'il y a bien prescription par un médecin. Pour les dirigeants de la firme, l'existence ou non d'un conseil génétique, les possibilités de suivi clinique, ou les motifs justifiant la recherche génétique ne relèvent pas du marché biotechnologique mais d'une autre sphère, celle des régulations de l'activité médicale.

Une troisième caractéristique de ce modèle d'organisation est l'accès direct aux personnes. *Myriad* a régulièrement recours aux campagnes de promotion de ses services. Au départ très agressives, les initiatives en direction des femmes potentiellement à risque ont cédé la place à des dispositifs plus informatifs, en particulier sur Internet. La gestion du site web est une voie importante d'accès aux clientes. Celles-ci y trouvent non seulement des indications générales sur le cancer du sein, les gènes BRCA ou les interventions susceptibles de réduire le risque, mais aussi les moyens (tables, formulaires et adresses) pour évaluer leur propre statut et organiser la mise en œuvre du dépistage génétique. Il y a là plus qu'un service publicitaire. Pour les responsables de la firme, le droit à l'information génétique est un droit essentiel des individus. L'offre marchande se trouve ainsi relayer la demande d'autonomie des personnes. Les biotechnologies génétiques y contribuent en apportant de nouveaux moyens pour connaître et préserver leur « capital santé ». Dans cette perspective, la connaissance des risques et leur bonne gestion ne sont pas que des questions de santé publique. Ils constituent des enjeux individuels d'autant plus pressants que la couverture médicale est, aux États-Unis, majoritairement basée sur des contrats individualisés (sauf pour les populations les plus pauvres qui bénéficient de la couverture fédérale).

LES RÉSERVES SUSCITÉES PAR LE MODÈLE MARCHAND

Comment est apparu le débat sur la régulation des tests génétiques ? En Europe, la question des brevets BRCA a constitué le principal abcès de fixation, débouchant sur la récente procédure d'opposition aux brevets BRCA octroyés par l'*European Patent Office* (Cassier, dans ce volume). Aux États-Unis, ni les professionnels ni les utilisatrices ne se sont beaucoup intéressées aux enjeux de la propriété intellectuelle. Cet état de fait n'est pas spécifique aux tests BRCA, tout s'y passe en effet comme si les nouvelles normes de valorisation des connaissances étaient hors du champ de la santé. Les discussions américaines ont donc essentiellement porté sur les conditions de mise en œuvre des tests, sur leur utilité, sur les modalités de gestion du risque et la définition des populations à inclure. La première phase de débat, à partir de 1996, a été dominée par les initiatives de la société civile, en premier lieu par celles des sociétés savantes et des organisations professionnelles.

Les recommandations de bonne pratique qui ont sans doute eu le plus d'écho sont celles de l'*American Society for Clinical Oncology* (ASCO, 1996). Elles avaient deux objectifs : d'une part fixer le seuil de risque à partir duquel la recherche de mutation pouvait être utile ; d'autre part définir les conditions de cette exploration. Incertitudes sur le suivi et consentement éclairé occupaient une large place. Le principal bénéfice prévu du diagnostic était de réduire l'inquiétude des personnes pour lesquelles on ne trouverait pas de mutation. Pour les personnes dont il fallait considérer qu'elles étaient à fort risque, l'ASCO demandait aux cancérologues de « *se préparer à offrir aux personnes de ces familles le choix individuel d'un dépistage précoce par radiographie, et de discuter la possibilité de la chirurgie préventive* ». Parallèlement, la société insistait sur la nécessité de donner une information complète par le biais des formulaires de consentement éclairé. « *La nature particulière de l'information génétique implique en permanence le recours au consentement éclairé [...] Ce processus d'explication a pour objectif d'amener la personne qui envisage de demander un test à prendre conscience de ce que l'on sait et de ce que l'on ne sait pas faire en matière de détection du risque de cancer [...] Le droit à ne pas procéder à un test est une donnée de base de l'ensemble de ces discussions.* » (ASCO, 1996). Il est important de noter que le panel d'experts de l'ASCO s'abstint de discuter du cadre économique de réalisation des tests. L'organisation marchande qui se mettait alors en place fut simplement enregistrée comme une donnée.

Toutes les instances d'évaluation qui se saisirent de la question des tests BRCA durant cette période ne réagirent pas de la même manière. Un autre corpus de recommandations fut par exemple publié par le groupe de réflexion sur la génomique établi par l'Université de Stanford (PGES, 1998). Celui-ci portait un regard beaucoup plus critique sur les modalités de commercialisation des tests. Rassemblant principalement des généticiens moléculaires et des spécialistes de sciences sociales, le groupe de Stanford considérait qu'un accès rapide aux tests était une priorité. Il laissait l'évaluation des critères de prescription à l'appréciation des oncologues. En revanche, il considérait qu'une régulation publique était indispensable pour lutter contre d'éventuelles discriminations en matière d'embauche ou d'assurance. De plus, pour la première fois, l'idée d'une intervention fédérale était évoquée comme une réponse possible au monopole de propriété intellectuelle acquis par *Myriad.* « *BRCA1 et BRCA2 (sic) font l'objet de plusieurs brevets ou demandes de brevets. Dans la mesure où ces dernières recevront une réponse positive, les institutions qui emploient les "inventeurs" vont bénéficier d'un pouvoir de contrôle tout à fait significatif sur les conditions dans lesquelles les tests génétiques sont pratiqués et par qui.* » En conséquence, « *le Congrès devrait se préoccuper des conséquences d'une situation de monopole issue de l'attribution de brevets sur une séquence génétique humaine importante.* » Une régulation du marché était aussi jugée nécessaire pour éviter que la généralisation des tests ne finisse par avoir des effets négatifs en terme de santé publique. « *On peut facilement imaginer comment la publicité pour le dépistage des mutations BRCA1 et BRCA2 peut exploiter et renforcer les peurs des femmes et permettre ensuite de présenter les tests comme la réponse à des craintes qui ont été rendues plus intenses. Le marketing des tests génétiques devrait être, au minimum, soumis au même type de régulation que la publicité pour les médicaments, que cette régulation soit le fait de la FDA ou d'une autre agence fédérale* » (PGES, 1998).

Les auditions préalables à l'écriture des recommandations du groupe de Stanford avaient été diverses. Elles incluaient aussi bien le directeur de Myriad, Marck Sckolnick, lequel insista sur la liberté de choix des personnes, que d'éloquents partisans d'une initiative fédérale, tel le spécialiste de santé publique Neil Holtzman. Le texte final, publié dans le *Journal of Women's Health*, mettait toutefois en valeur le rôle particulier tenu par les experts liés aux associations s'occupant du cancer du sein.

DE NOUVEAUX PARTENAIRES DE LA RÉGULATION : LES ASSOCIATIONS DE FEMMES

Lors de la présentation des règles ASCO, Frances Visco, alors présidente de la *National Breast Cancer Coalition* (NBCC), avait émis de fortes réserves sur les conditions de développement des tests BRCA, insistant sur la nature problématique de cette activité et rappelant en termes crus l'incertitude régnant alors en matière de réduction du risque. Pour l'association, le plus urgent était moins d'étendre l'accès au test que « la nécessité d'en faire moins ». La généralisation d'un test sans règles collectives d'usage et sans méthode efficace de réduction des risques ne pouvait avoir que des effets négatifs. « *Aujourd'hui nous devons faire face à la large mise à disposition d'un test qui permet de dire à une femme qu'elle a 85 % de chance de développer une maladie que nous ne pouvons ni prévenir ni guérir. Une méthode de réduction du risque très discutée est la mastectomie prophylactique. Mais celle-ci n'a pas été suffisamment étudiée dans ce contexte. Pour les femmes dont les tests donnent des résultats positifs, il n'existe aucune méthode de détection suffisamment étudiée pour que l'on connaisse son efficacité ou même ses effets négatifs sur la valeur du risque* » (ASCO, 1996). Cette première prise de position fut relayée par la rédaction de plusieurs évaluations publiques de l'usage des tests BRCA associant mises en garde à propos des usages discriminatoires des résultats et évaluation critique de la surveillance radiologique, de la chirurgie et de la prévention hormonale. Dans la dernière en date, le groupe « génétique » de la NBCC concluait ainsi : « *Un test génétique pour le cancer du sein ne doit pas être utilisé sans une prise en compte complète de ses limites et de ses implications. Les tests apportent peu de bénéfices [...] S'ils peuvent aider les femmes ayant une importante histoire familiale de cancer du sein et qui sont porteuses de mutations des gènes BRCA1 ou 2 à prendre des décisions, il faut se souvenir que les possibilités actuelles de réduction des risques comportent aussi des risques. À la place, ces femmes peuvent choisir de recourir à une surveillance accrue, indépendamment de leur statut BRCA. Jusqu'à ce qu'une législation spécifique contre la discrimination génétique soit adoptée, les femmes doivent aussi tenir compte de la possibilité d'un usage discriminatoire des résultats de test* » (NBCC, 2001).

Cette prudence à l'endroit des innovations n'est pas propre à la question des tests génétiques. L'expertise critique est une pratique revendiquée par la NBCC. Celle-ci, comme la majorité des associations liées au cancer du sein nord-américaines, a été fortement influencée par les formes d'action des malades atteints du sida, par leur capacité à intervenir non seulement dans les débats sur la prise en charge sociale, mais aussi dans les débats scientifiques et techniques sur la maladie (Epstein, 1996 ; Dodier, 2004). Sans nier la nécessité d'un dialogue avec les experts officiels, la nébuleuse associative « cancer du sein » développe une distance critique envers le point de vue véhiculé par les institutions médicales. La NBCC se voit comme une organisation indépendante qui exprime les opinions des malades et les présente aux médecins. Elle met l'accent sur une évaluation autonome des données scientifiques et médicales, sur la confrontation entre les divers points de vue des experts, sur la diversité des pratiques de soin. Une telle évaluation, couplée avec une collecte systématique des avis des utilisateurs des techniques médicales, est perçue comme une précondition à une véritable liberté de choix des malades. Les militants du mouvement associatif « cancer » ont des opinions très divergentes sur la manière optimale de traiter le cancer. Ils soulignent cependant tous l'importance des valeurs, des visions du monde et des intérêts, y compris les intérêts professionnels des médecins, dans l'organisation collective de la lutte contre la maladie. Ces associations ne sont pas uniquement des groupes d'autosupport ou des organisations de soutien aux malades. Elles revendiquent une forme d'*empowerment* scientifique (Gaudillière, 2002) qui trouve son origine dans le mouvement pour la santé des femmes.

La NBCC est en effet une fédération nationale émanant de groupes locaux qui ont souvent pour origine l'activité des centres de santé pour les femmes, créés dans les années 70 dans le cadre de la lutte pour l'avortement et la contraception (Casamayou, 2000). L'objectif initial de la fédération était d'organiser le lobbying auprès des responsables politiques américains afin d'obtenir plus de crédits pour la recherche sur le cancer du sein. Cette activité a été poursuivie avec un succès certain. Au début des années 80, la NBCC obtint un triplement des budgets mis à la disposition des chercheurs. Le département de la défense (DOD), à l'origine d'une part importante de ces nouveaux financements, pratiqua une politique d'ouverture qui amena la NBCC à siéger dans de nombreux comités chargés de l'évaluation et du suivi de ces travaux. Cette inclusion contribua, en retour, à rendre plus pressant le besoin de compétences scientifiques et d'organisation des activités d'expertise. Pour cela, la NBCC fit non seulement appel à des conseillers scientifiques extérieurs, mais elle organisa aussi, en interne, les activités de veille et de formation d'une proportion non négligeable de ses membres.

Loin d'aboutir à un positionnement unique, l'implication dans les débats sur les tests génétiques a conduit à de multiples tensions entre volonté de faciliter l'accès à la recherche de mutation (en particulier pour les femmes les plus défavorisées), intérêt pour les pistes de recherche ouvertes par l'étude des gènes BRCA, jugement critique des incertitudes de la prévention, et contestation du monopole de *Myriad*. Aujourd'hui, la NBCC plaide à la fois pour un recours limité aux tests, pour une intégration forte entre dépistage, conseil génétique et suivi des femmes dans le cadre de consultations spécialisées, et pour une régulation publique des pratiques de test.

VERS UNE RÉGULATION ÉTATIQUE : LES DÉBATS DU SACGT

Cette position régulatrice a été systématiquement défendue par les représentants de l'association participant aux comités que le *Public Health Service* a tour à tour mis en place pour suivre l'expansion des tests génétiques et, à partir de la fin des années 90, pour faire avancer l'idée d'une régulation fédérale. La première initiative en ce sens a été la *Task Force on Genetic Testing* créée dans le cadre du programme génome des NIH. En 1999, ce panel estimait nécessaire d'organiser un jugement collectif des bénéfices et risques en préalable à l'entrée en clinique courante des nouveaux tests (Holtzman et Watson, 1998). Cependant, cette *Task Force* s'avéra incapable de dégager un consensus permettant de désigner une autorité pour diriger cette évaluation. La suite de la discussion sur la régulation fut donc renvoyée à la création du SACGT, chargé en 1998 de la préparation d'une réglementation.

De composition hybride, incluant les institutions de santé publique (FDA, CDC), une grande variété d'organisations professionnelles (médicales ou biotechnologiques), et une représentation associative, ce comité multiplia les procédures de débat. Celles-ci culminèrent avec une audition de toutes les « parties intéressées » au cours d'une journée de débat public dont le déroulement est particulièrement révélateur des conflits suscités par la perspective de régulation des tests par la FDA (laquelle avait été incluse dans le prérapport soumis à discussion par le SACGT) (Gaudillière et Cassier, 2001). L'ensemble des développeurs de tests, biologistes moléculaires et entreprises de biotechnologies s'opposa à cette perspective à partir de trois arguments : le droit à l'information des personnes, la non-spécificité des tests génétiques par comparaison avec les autres examens biologiques, le caractère suffisant des procédures déjà existantes visant à encadrer l'activité technique des laboratoires (les normes CLIA, proches de notre système d'accréditation). Ainsi, la firme de biotechnologie *Affymetrix* déclara considérer *« que le droit de l'individu à la connaissance de sa propre information génétique doit être protégé. [...] Nous avons les plus grandes réserves à l'endroit de toute recommandation introduisant un traitement particulier de l'information génétique. Nous pensons que les mêmes règles de confiden-*

tialité et de respect de la vie privée doivent régir toutes les informations médicales. Il n'existe pas de ligne de démarcation nette entre tests génétiques et autres sources courantes d'information médicale. Tenter d'établir une telle ligne de partage serait un véritable défi qui pourrait s'avérer contre-productif. Nous pensons qu'un traitement particulier de l'information génétique ne fera que renforcer les craintes du public à propos des abus et atteintes possibles à la vie privée » (SACGT, 2000b).

Les associations de praticiens étaient beaucoup plus divisées. D'un côté, on trouvait l'association des conseillers génétiques *(National Society of Genetic Counselors)* très favorable à une régulation. De l'autre, l'*American College of Medical Genetics* rejoignait la position des biotechnologues en faveur d'un renforcement des normes CLIA. Entre les deux, l'*American Society of Human Genetics* souhaitait exempter de contrôle les tests de mutations pour des maladies rares, pratiqués par des institutions académiques. Les associations de patients étaient toutes favorables à une régulation fédérale mais avec des motivations très hétérogènes. La plupart d'entre elles privilégiaient contrôle de qualité et garantie de non-discrimination en matière d'accès aux soins et d'assurance. Seule la NBCC insistait sur la nécessité d'une évaluation de l'utilité clinique.

Le forum SACGT représente une formule originale de « démocratie technique » (Callon *et al.*, 2001). Le compromis final auquel il aboutit est intéressant aussi bien par la façon de formuler les problèmes que par les mécanismes de régulation proposés. Le principe de base était l'implication de la FDA (SACGT, 2000a). Concrètement cela signifiait que les développeurs de tests organiseraient le recueil des informations nécessaires à l'évaluation de la validité analytique et de l'utilité clinique des nouveaux tests. Toutes les innovations ne devaient toutefois pas être contrôlées de la même manière. Sans définir une grille formelle, le rapport final proposait une série de critères permettant de distinguer des tests à haut risque et des tests à bas risque. C'est-à-dire, pour reprendre deux exemples cités, les tests type BRCA et les tests type mucoviscidose. Parallèlement, le comité reprit la formule des autorisations en deux temps, inventée pour accélérer la recherche thérapeutique contre le sida. Le SACGT proposa une phase de « pré-autorisation » pour ne pas freiner l'innovation et tenir compte de la difficulté à obtenir les données nécessaires au jugement des bénéfices cliniques. Dans la première phase, l'inventeur seul aurait la charge du recueil des données. Dans la seconde, il s'agirait des CDC avec la collaboration de la profession. Enfin, trait original, le comité réclamait la mise sur pied, indépendamment de la FDA, d'une évaluation éthique et sociale de l'impact des tests génétiques.

Adopté comme position officielle de l'administration dans les derniers temps du gouvernement Clinton, le texte du SACGT est lettre morte depuis la victoire des Républicains à l'élection présidentielle de la fin 2000. Il n'y a aucune chance qu'il soit traduit en réglementation à court terme. Le seul effet de ce long débat sur la régulation fédérale aura donc été une réforme des normes CLIA destinée à prendre en compte les spécificités techniques de l'analyse d'ADN et à affermir le contrôle de qualité.

LA RÉGULATION ÉTATIQUE EN PRATIQUE : LE CAS BRITANNIQUE

Pour trouver un exemple d'une forme effective de régulation publique de l'offre de tests, il faut donc quitter les États-Unis et se tourner vers la Grande-Bretagne (Gaudillière et Löwy, sous presse). Sans pouvoir en donner ici une analyse détaillée, il faut immédiatement souligner que le dispositif introduit par le *National Health Service* est très différent de ce qui était envisagé pour les États-Unis, aussi bien pour ce qui concerne les conditions du débat public que les structures de la régulation. Il s'agit d'un encadrement étatico-professionnel plutôt que d'une régulation collective. L'accès aux tests BRCA a en effet été défini dans le cadre de la planification régionale des activités de santé organisée par le NHS. La construction de l'offre publique n'a donc pour point de départ ni une discussion préalable à l'attribution d'une autorisation de mise sur le marché, ni le débat sur les bénéfices attendus de l'identification des risques génétiques mais une évaluation des ressources matérielles et humaines que le NHS pouvait raisonnablement investir dans la réalisation des tests.

Les tests BRCA se trouvent ainsi placés à la croisée de deux réseaux : celui des centres régionaux du cancer et celui des services de génétiques (Donai et Rob, 2001 ; ACGT, 1998). Chaque centre régional du cancer est associé à un centre de génétique médicale qui pratique toutes les analyses génétiques. Le premier souci de l'administration du NHS a été de ne pas engorger ces centres avec un flot de recherche de mutations BRCA. On a donc défini *a priori* un volume de tests et ensuite construit le système de sélection adapté avec la définition d'une stricte grille de définition des personnes « à risque » faible, moyen ou élevé basée sur une simplification du modèle de Gail. Dans ce cadre, les généralistes sont les principaux « *gate keepers* ». Par rapport à la configuration américaine, l'avantage de cette planification est d'offrir un couplage fort entre accès aux tests et prise en charge. Les femmes identifiées à haut risque se voient offrir conseil génétique, visites régulières et intensification de la surveillance radiographique. Son principal défaut tient au caractère autoritaire de cette limitation de l'offre. Sa mise en place n'a reposé sur aucun débat public, sur aucune implication des associations de malades. Elle a seulement fait appel à la négociation entre managers du système de santé et professionnels de la génétique et du cancer.

En conclusion

La façon dont a été structurée l'offre de test BRCA aux États-Unis et en Grande-Bretagne fait apparaître trois modes de régulation des tests génétiques qui ont chacun leur cohérence et définissent trois modes d'existence des innovations biotechnologiques. Le premier est le mode marchand associé à l'activité des start-up. Dans ce cadre, le droit à l'information génétique est un droit individuel réglé par les consommateurs. La régulation est un problème de contrôle de qualité passant par la définition, à l'initiative des opérateurs, de règles de bonnes pratiques. Le deuxième mode de régulation est le mode étatico-professionnel illustré par la planification britannique où les comités d'experts fixent les normes de tests au nom de la santé publique, en fonction de jugements coûts/bénéfices plus ou moins formalisés. La négociation entre généticiens, cliniciens et économistes est le pivot de ce système. Un troisième mode de régulation que l'on peut décrire comme « participatif » pour insister sur le rôle qu'il donne aux acteurs dits de la société civile, et en particulier aux associations de patients, est celui qui émergeait des controverses américaines des années 90. Dans ce cadre, le marché est encadré par l'État. L'enjeu est moins l'efficacité technique que la garantie d'utilité médicale. L'évaluation suppose alors l'intervention des praticiens, mais elle doit aussi, pour être légitime et prendre en compte l'expérience de la maladie, faire intervenir une représentation des utilisateurs de tests, patients et/ou personnes concernées. Pour conclure, j'aimerais faire une remarque plus normative et dire que trouver un compromis satisfaisant entre les exigences contradictoires de la propriété intellectuelle, de la valorisation marchande et de la santé publique suppose sans doute, dans la situation française, d'inventer une combinaison originale entre ces deux derniers modes.

Brevets, gènes et santé publique : l'opposition juridique aux brevets européens sur les gènes et les tests génétiques de prédisposition au cancer du sein

M. Cassier

En septembre 2001, trois institutions médicales françaises, l'Institut Curie, l'Institut Gustave-Roussy et l'Assistance publique-Hôpitaux de Paris, soutenues par les ministères français de la Santé et de la Recherche, rejointes par plusieurs sociétés de génétique européennes, engagèrent une procédure d'opposition auprès de l'Office européen des Brevets (OEB) à l'encontre d'un brevet délivré en janvier 2001 à la société américaine Myriad Genetics sur une méthode de diagnostic génétique du cancer du sein et de l'ovaire. La procédure d'opposition fut étendue en 2002 à deux nouveaux brevets accordés à la même société par l'OEB, sur un gène de prédisposition du cancer du sein et de l'ovaire, BRCA1, et sur une liste de mutations de ce gène associées à des prédispositions au cancer. Les mêmes acteurs ont déposé un quatrième dossier d'opposition sur le brevet couvrant la séquence du second gène de prédisposition aux cancers du sein et de l'ovaire, BRCA2, également breveté par une fondation britannique. Entre-temps, le cercle des opposants s'est étendu en Europe auprès de huit sociétés de génétique, de trois ministères de la Santé – belge, hollandais, autrichien –, de deux associations de malades – belge et allemande –, de l'Institut suisse pour la recherche appliquée sur le cancer et du Parti social démocrate suisse.

Cette procédure d'opposition, enclenchée au départ par le refus de cliniciens-chercheurs d'être dépossédés de leurs propres techniques et de leur maîtrise de la réalisation des tests dans le cadre médical, celui de leur consultation d'oncologie génétique, peut être considérée comme un fait majeur aussi bien dans le champ de la santé que dans celui de la propriété intellectuelle. Nous nous efforcerons dans cet article d'en saisir les causes, les justifications et l'impact. La première section analyse le nœud de la discorde, à savoir le format et le pouvoir des brevets contestés. La deuxième section étudie la stratégie de captation de l'offre de tests génétiques par les détenteurs des brevets sur les gènes et leurs applications diagnostiques. La troisième section retrace l'engagement des cliniciens européens dans la procédure d'opposition qui conteste non seulement la recevabilité de ces brevets au regard des critères de brevetabilité mais également leur format et leur impact sur la pratique médicale et l'économie de la santé. La quatrième section revient sur le processus de régulation qui découle de ce conflit, notamment les amendements introduits au code de la propriété intellectuelle en France, des propositions de réforme du droit des brevets sur les gènes et les tests génétiques aux États-Unis et au Canada.

LE POUVOIR DES BREVETS SUR LES GÈNES ET LEURS APPLICATIONS DIAGNOSTIQUES

Les brevets européens accordés à la société Myriad Genetics sur les gènes de susceptibilité au cancer du sein (BRCA1 et 2) sont de trois types[1].

Il s'agit en premier lieu de brevets qui revendiquent la séquence génétique isolée en tant que « produit » ainsi que ses produits dérivés (la protéine codée par le gène et son anticorps antagoniste, les cellules transformées et les animaux transgéniques dans lesquels le gène est inscrit) et ses diverses applications (diagnostiques, thérapeutiques et les

[1] À ce jour, Myriad a obtenu 4 brevets en Europe sur les gènes BRCA1 et 2.

méthodes de screening de médicaments anticancéreux qui utilisent une protéine BRCA1, une cellule hôte transformée ou un animal transgénique)[2]. La structure de ces brevets est conforme à l'esprit de l'article 9 de la directive européenne sur la protection juridique des inventions biotechnologiques[3] qui fixe les contours et la portée de ces brevets : « *la protection conférée par un brevet à un produit contenant une information génétique ou consistant en une information génétique s'étend à toute matière dans laquelle le produit est incorporé et dans laquelle l'information génétique est contenue et exerce sa fonction* ». Le spectre de ce type de brevets est singulièrement large et il confère au propriétaire un pouvoir de monopole très étendu, pour plusieurs raisons. Premièrement, la propriété revendiquée sur l'information génétique s'étend sur une cascade de produits biologiques dans lesquels elle est exprimée. Deuxièmement, ces brevets, construits sur le modèle des brevets de produit appliqués aux composés chimiques traditionnels[4], protègent toute utilisation de la séquence : « *La séquence constitue bien un produit au sens du droit des brevets et elle a droit à une protection de portée absolue. Ainsi, un brevet qui le premier a défini une séquence génomique et en a donné au moins un exemple d'utilisation couvre valablement cette séquence en elle-même et ce, quelle que soit son application* », selon Bruno Phélip, conseiller en propriété industrielle[5]. Troisièmement, ce monopole est d'autant plus absolu qu'il s'agit d'une substance naturelle et que l'on ne peut pas inventer un nouveau gène pour contourner la séquence brevetée. Quatrièmement, le pouvoir de contrôle de tels brevets est susceptible de s'étendre à plusieurs fonctions biologiques du gène, quand bien même elles ne seraient pas décrites dans le brevet initial du découvreur de la séquence.

Le deuxième type de brevet accordé sur les gènes du cancer du sein couvre des mutations particulières associées à des prédispositions au cancer[6]. Partant de là, les revendications couvrent une liste de mutations, leurs produits dérivés et leurs applications. Le brevetage de mutations particulières permet d'étendre et de prolonger la propriété au fur et à mesure de la découverte de nouvelles mutations lors de la réalisation des tests.

---

[2] Brevet européen 705 902 de Myriad Genetics sur la séquence du gène BRCA1.

[3] Directive 98/44 adoptée par le Parlement européen en 1998.

[4] *Cf. Guidelines* de l'USPTO de janvier 2001.

[5] Colloque de l'Académie des Sciences sur « La propriété intellectuelle dans le domaine du vivant », janvier 1995.

[6] Brevet européen 95 305 605.8 de Myriad Genetics revendiquant une liste de mutations du gène BRCA1.

Le troisième type de brevet correspond à des brevets de méthode[7] qui revendiquent l'utilisation de la séquence génétique ou de ses produits d'expression – ARN, protéine – pour détecter des prédispositions au cancer. Ici aussi, la couverture de ces brevets est très large puisqu'ils revendiquent une méthode de diagnostic sans limitation des procédés techniques utilisés, qui sont pour certains décrits comme connus dans la partie descriptive de ces brevets.

Les revendications de ces trois types de brevets se chevauchent (les applications diagnostiques sont réservées par les brevets de méthode, les brevets de produit sur la séquence complète et les brevets sur des mutations spécifiques) si bien que les institutions médicales européennes qui ont décidé de s'opposer aux brevets de la société Myriad Genetics ont été obligées de s'opposer à chacun des quatre brevets délivrés par l'Office européen des Brevets.

L'ÉMERGENCE DE MONOPOLES PRIVÉS POUR LA FOURNITURE DES TESTS GÉNÉTIQUES

La propriété industrielle sur des gènes et leurs applications diagnostiques permet de réserver les marchés des tests génétiques et, potentiellement, d'en exclure les laboratoires contrefacteurs. On peut distinguer deux configurations, l'une très fermée, pour la génétique du cancer du sein, l'autre plus ouverte, pour la génétique du cancer du côlon.

La première configuration, la plus fermée, est illustrée par la stratégie de Myriad Genetics. Myriad a opté pour l'exploitation directe de ses brevets et la construction d'une plate-forme industrielle qui jouxte ses laboratoires de recherche. Cette stratégie d'intégration industrielle de la production des tests génétiques est justifiée par les retours rapides assurés par la vente des produits diagnostiques, comparés aux retours beaucoup plus longs et plus aléatoires du développement de produits thérapeutiques[8]. L'intégration de la réalisation des tests est particulièrement poussée puisque Myriad entend centraliser dans ses murs toute la production des tests mondiaux, du moins le séquençage direct des cas index, tandis que les autres laboratoires, aux États-Unis ou dans le monde, lui adresseraient les échantillons d'ADN des cas index et se limi-

[7] Brevet EPO 699 754 de Myriad Genetics.

[8] Cette stratégie fut arrêtée sur le conseil de Walter Gilbert, prix Nobel de médecine.

teraient à la détection des mutations déjà identifiées parmi les apparentés. Ce dispositif, reconduit dans toutes les licences proposées par Myriad, aux États-Unis, au Canada, au Royaume-Uni puis en Allemagne, présente trois avantages pour la firme de Salt Lake City : premièrement, elle capte la plus grande partie de la valeur ajoutée réalisée lors de la production des tests (tandis que les laboratoires licenciés se contentent de la portion congrue et sont susceptibles de perdre des emplois de techniciens). Deuxièmement, Myriad peut décider de breveter les nouvelles mutations qu'elle identifie dans son laboratoire. Étant la seule autorisée à réaliser les tests, elle détient un monopole de fait sur ces mutations. Troisièmement, elle bénéficie d'un avantage en termes de recherche sur la base de mutations qu'elle accumule[9].

Cette stratégie, complétée par la mise sur le marché de tests génétiques pour les cancers héréditaires du côlon, de la prostate et le mélanome[10], s'est traduite par une forte croissance des revenus tirés de la vente de tests depuis décembre 1996. Tandis que les tests génétiques représentaient 1/3 des recettes de Myriad en 2001, ils dépassaient en 2003 les recettes tirées des contrats de recherche et développement (34,6 millions de dollars pour la médecine prédictive contre 27,8 pour la recherche). L'essentiel des recettes des tests étant fourni par les tests BRCA et les tests pour le cancer du côlon. Les bénéfices tirés des tests (22,1 millions de dollars, ce qui représente un taux de bénéfice de 64 %) étant utilisés pour financer les dépenses de recherche qui dépassent encore de beaucoup les recettes des contrats de recherche[11]. Le modèle économique imaginé au départ par Walter Gilbert pour développer la start up, reposant sur les revenus rapides des tests génétiques, est tout à fait confirmé. On comprend dès lors l'attachement de Myriad Genetics à l'intégration de la production des tests dans ses murs ainsi que sa stratégie d'appropriation exclusive du marché mondial du diagnostic génétique du cancer du sein.

La configuration du marché des tests génétiques des cancers héréditaires du côlon est moins fermée que celle du cancer du sein. La société

---

[9] *Cf.* l'article publié par Myriad en 2002 sur les résultats de 10 000 tests réalisés sur le cancer du sein dans son laboratoire, *Journal of Clinical Oncology*, 15 march.

[10] Myriad Genetics dispose aujourd'hui d'une plate-forme de tests pour les cancers héréditaires (analyse des gènes BRCA pour le cancer du sein, des gènes MLH1 et MSH2 pour le cancer HNPCC, du gène APC pour la polypose adénomateuse familiale, du gène P16 pour le mélanome).

[11] Si bien que le résultat net de l'entreprise continue à être négatif, l'entreprise augmentant ses capacités de financement en levant des fonds sur les marchés financiers.

qui a recueilli les droits de propriété des principaux gènes de prédisposition auprès de l'Université John Hopkins, Genzyme, a opté pour une politique de licences non exclusives pour financer sa recherche thérapeutique avec les royalties collectées. Elle a ainsi concédé des licences pour l'usage de ces gènes à Myriad Genetics, Quest Diagnostic, SRL, et aux Mayo Medical Laboratories, ce qui dessine un marché plus concurrentiel. Jusqu'ici, Genzyme n'a pas fait valoir ses droits auprès des laboratoires européens qui réalisent des tests génétiques sur le cancer du côlon.

L'OPPOSITION JURIDIQUE AUX BREVETS EUROPÉENS DE LA SOCIÉTÉ MYRIAD GENETICS

La stratégie de captation ou de réservation du marché des tests génétiques par les propriétaires des droits de brevet s'est heurtée, particulièrement en Europe et au Canada, dans une moindre mesure aux États-Unis[12], à l'opposition des laboratoires cliniques qui avaient de leur côté développé une offre de tests indépendante.

Dès que les gènes furent localisés puis identifiés, de nombreux laboratoires hospitaliers, qui souvent avaient participé à la recherche de ces gènes dans le cadre de consortiums internationaux ou de réseaux académiques plus informels, développèrent leurs propres tests et les mirent à disposition des patients à risque. Sur le plan de la propriété, ils ont disposé d'une fenêtre temporelle entre l'identification des gènes et la délivrance des brevets, période pendant laquelle l'usage des gènes était libre. Par exemple, pour le cancer du sein, les gènes ont été publiés en 1994 et 1995 alors que la délivrance des premiers brevets est intervenue à la fin de l'année 1997 aux États-Unis et en janvier 2001 en Europe. Cette période de libre usage des gènes a abouti à l'existence d'une grande variété des techniques de tests – parfois insuffisamment standardisés – et à une large distribution de l'offre de tests. Par exemple, pour le cancer du sein, les tests sont distribués par 17 centres anti-cancéreux en France et une quinzaine de laboratoires en Grande-Bretagne, ce qui peut conduire à l'existence de centres de tests de faible capacité.

[12] Si des universitaires ou des associations de praticiens se sont élevés aux États-Unis contre la monopolisation de l'offre de tests ou les pratiques de licences restrictives, les services juridiques des universités, à l'instar de celui de l'Université de Pennsylvanie, ont refusé de s'engager dans la contestation juridique des brevets.

Dès lors que les brevets furent délivrés, ces centres hospitaliers se retrouvèrent dans une position de contrefacteurs. Dans le domaine de la génétique du cancer du sein, où le détenteur des brevets était décidé à faire valoir ses droits pour développer son modèle économique, les laboratoires européens furent contactés pour acquérir des licences qui aboutissaient au transfert aux États-Unis de l'analyse des mutations sur les cas index tandis qu'eux-mêmes seraient autorisés à rechercher parmi les apparentés la mutation identifiée, et détenue, par la firme propriétaire. Les premières offres de licences intervinrent en décembre 1998, bien avant que les brevets européens ne soient délivrés. Ces licences, particulièrement asymétriques puisqu'elles conduisaient à transférer aux États-Unis l'essentiel de la production des tests et de la connaissance sur les gènes, furent déclinées par les centres anticancéreux français et par les laboratoires cliniques européens. Myriad Genetics choisit alors de s'implanter en Europe en négociant des licences avec des laboratoires privés, en Grande-Bretagne puis en Allemagne[13].

La délivrance du premier brevet européen de Myriad Genetics en janvier 2001 déclencha une confrontation ouverte[14]. Les cliniciens de l'Institut Curie, bientôt suivis par l'Institut Gustave-Roussy et l'Assistance publique-Hôpitaux de Paris, décidèrent d'engager une procédure d'opposition juridique auprès de l'Office européen des Brevets, possibilité prévue par le droit européen des brevets pour contester la validité ou l'étendue d'un brevet. Les différents dossiers d'opposition constitués en 2001 et 2002 avancent plusieurs faiblesses des brevets attribués à Myriad au regard des critères de brevetabilité (nouveauté, activité inventive et application industrielle). Les opposants contestent la date de priorité du brevet de séquence du gène BRCA1 (la séquence revendiquée en septembre 1994 comporte plusieurs erreurs, on ne peut donc la retenir pour valider le brevet). Ils mettent en cause le défaut d'activité inventive pour l'identification de cette séquence dans la mesure où Myriad a bénéficié de connaissances acquises par le consortium international sur le cancer du sein, emprunts qui ne sont pas cités dans le texte du brevet. Ils font également valoir l'absence de nouveauté du brevet de méthode dans la mesure où il existait des méthodes indirectes de test

---

[13] Une licence fut signée en mars 2000 avec une start-up de biotechnologie britannique issue de l'institut Roslin, Rosgen, avant qu'elle ne fasse faillite. En juin 2001, Myriad conclut une licence avec le laboratoire allemand Bioscientia pour offrir des tests en Allemagne, en Suisse et en Autriche. L'accord prévoit que Bioscientia enverra les échantillons à Salt Lake City pour le séquençage complet du gène.

[14] En octobre 2001, *Nature* titra : « *Testing time for gene patents as Europe rebels* », vol. 413, 4 october.

avant le brevet déposé par Myriad. Ils soulignent enfin l'insuffisance de description de la méthode diagnostique : en effet, le brevet de méthode revendique l'utilisation de la séquence de BRCA1 déduite de la séquence protéique. La séquence de référence n'est pas suffisamment décrite – il existe une multitude de gènes pouvant coder la protéine en question.

Les opposants contestent plus fondamentalement le format et les effets de tels brevets sur la recherche médicale et la santé publique. Premièrement, les cliniciens dénoncent l'effet bloquant de ces brevets excessivement larges sur le développement de nouvelles méthodes de tests. Ils font valoir la pluralité des techniques d'analyse possibles dont l'usage et l'amélioration seront bloqués par l'existence d'un brevet qui revendique toute méthode de diagnostic génétique quelle qu'en soit la technique : *« Le monopole devient alors clairement un frein à toute optimisation diagnostique et à tout développement technologique »*[15]. Cet effet bloquant des brevets larges est particulièrement contesté par les généticiens de l'Institut Curie qui ont développé, en collaboration avec l'Institut Pasteur, une méthode de test originale, dont ils ont montré qu'elle permettait de détecter certains types d'anomalies génétiques qui n'étaient pas repérées par la méthode utilisée par Myriad (Gad *et al.*, 2001).

Deuxièmement, les cliniciens s'opposent à toute monopolisation d'un service médical : « Myriad veut instaurer un monopole sur la fourniture d'un service. C'est une restriction nouvelle et injustifiée de la pratique médicale » (*British Society of Human Genetics*). Ils retrouvent ici une ligne d'opposition traditionnelle des médecins aux brevets sur des techniques médicales (Cassier, 2004).

Troisièmement, ils font valoir l'impact négatif de ces brevets sur la santé publique, sous trois aspects. Tout d'abord, ils mettent en cause la fiabilité de la méthode de test du détenteur du brevet *« qui ne permettrait pas de détecter 10 à 20 % des mutations attendues ».* L'utilisation exclusive de cette technique pour la première recherche d'une mutation familiale *« constituerait une entrave à la qualité des tests »*[16]. Ensuite, la monopolisation de l'offre de tests se traduirait par une forte augmentation du prix des tests, ce qui nuirait à l'accessibilité des tests génétiques pour les patients. Enfin, le monopole de la réalisation des tests par Myriad entraînerait une dissociation entre la réalisation de l'analyse génétique et le suivi des per-

---

[15] *Cf.* le dossier d'opposition de l'Institut Curie, 6 septembre 2001.

[16] Dossier d'opposition de l'Institut Curie, septembre 2001.

sonnes à risque par la consultation, ces deux phases étant généralement intégrées dans les consultations d'oncologie génétique en Europe.

Bien que la procédure d'opposition ne suspende pas les droits du breveté, les laboratoires français et européens continuent à réaliser leurs propres tests, sans s'acquitter des redevances. En 2002 et en 2003, le ministère français de la Santé a même décidé d'augmenter très sensiblement dotations pour accroître leur capacité de réalisation de tests génétiques, ce qui constitue en fait un encouragement à la contrefaçon des brevets contestés.

DES PROPOSITIONS POUR UNE NOUVELLE RÉGULATION DE LA PROPRIÉTÉ INTELLECTUELLE SUR LES GÈNES ET LES TESTS GÉNÉTIQUES

Le conflit sur les gènes de prédisposition au cancer du sein a entraîné une révision du droit de la propriété intellectuelle français. Lors du récent vote de la loi de bioéthique, en décembre 2003, le Parlement a adopté un amendement qui élargit le champ d'utilisation des licences d'office pour raison de santé publique aux méthodes de diagnostic *in vitro* alors que ces licences obligatoires étaient jusqu'ici réservées aux médicaments. Les députés ont également adopté un amendement qui vise à réduire la portée des brevets de séquence à la seule application décrite dans le brevet afin de ne pas bloquer l'invention de nouvelles applications qui seraient dépendantes du premier brevet. Remarquons que cette limitation des brevets de séquences est contraire à la logique des brevets de produit de la directive européenne 98/44 et que cette dernière continue à s'appliquer.

Au Canada, le gouvernement de la santé de l'Ontario a refusé de reconnaître le monopole de la société Myriad Genetics et a autorisé les laboratoires cliniques à continuer leurs tests. Un rapport commandé par le ministère de la Santé sur « Génétique, dépistage et brevetage » (janvier 2002) propose une réforme de la loi canadienne sur les brevets et notamment l'introduction d'une période d'opposition à un brevet[17], une protection accrue des fournisseurs de santé contre des poursuites pour contrefaçon et des restrictions quant à la délivrance de brevets

[17] Il s'agit là d'une conséquence directe de l'opposition de l'Institut Curie, citée par le ministère de la Santé de l'Ontario.

trop larges. Plus précisément, si les techniques de diagnostic pourraient toujours faire l'objet d'un brevet, l'utilisation d'un gène breveté à des fins de diagnostic ne pourrait pas faire l'objet de poursuite en justice. Le rapport préconise également l'usage des licences obligatoires dans le domaine des tests génétiques.

Aux États-Unis, la parlementaire Lynn Rivers a déposé en mars 2002 un projet de loi prévoyant « une exemption de brevets pour les usages diagnostiques des gènes ». Il s'agit de protéger les praticiens de poursuite en contrefaçon pour l'utilisation d'un gène breveté.

En conclusion

L'opposition juridique aux brevets sur les gènes et les tests génétiques du cancer du sein marque un renouveau de la confrontation entre brevet, médecine et santé, que l'on peut suivre depuis que le droit des brevets existe. Cette initiative a débouché sur un processus de régulation de la propriété intellectuelle dans le champ de la génétique pour limiter les effets bloquants des brevets trop larges et l'émergence de monopoles préjudiciables à l'accessibilité des tests ou trop coûteux pour le système de santé. La procédure d'opposition a enfin favorisé l'intervention de nouveaux acteurs sur le terrain de la propriété industrielle (les professionnels de santé, les sociétés savantes, et, dans une moindre mesure, les associations de malades).

Place de l'évaluation économique des tests génétiques

C. Sévilla, H. Sobol, J.P. Moatti

Depuis l'identification en 1986 d'un premier gène de prédisposition au cancer, le gène RB prédisposant à la survenue du rétinoblastome, les avancées de la recherche en particulier dans les années 90 ont conduit à l'identification de plus d'une trentaine de gènes de prédisposition au cancer, notamment pour des organes fréquemment touchés par la maladie comme entre autres le sein et le côlon. L'identification de ces gènes a été rapidement suivie par la mise au point, simultanément dans plusieurs laboratoires, de tests génétiques. Bien que ces analyses soient appelées communément tests, elles ne se présentent toutefois pas sous forme de kits mais d'analyses complexes de biologie moléculaire. Elles peuvent être réalisées grâce à différentes techniques, automatisées ou non, requérant toujours des étapes de manipulation de laboratoire toutefois d'une durée et d'une complexité variables. Ces tests ont été proposés au départ en clinique dans un contexte de recherche seulement. Mais, leur passage rapide du domaine de la recherche à la pratique clinique de routine soulève naturellement de nombreuses interrogations, surtout dans un système de santé socialisé comme c'est le cas en France, tant par leur coût très élevé que par les incertitudes liées à leur utilité clinique. Dans ce contexte, l'évaluation économique peut aider les professionnels de santé et les décideurs. Nous allons ici montrer en quoi la contribution de l'économie de la santé est nécessaire pour éclairer le processus de diffusion des tests génétiques dans les pratiques, voire fondamentale notamment dans le cas de la prédisposition au cancer du sein ou de l'ovaire caractérisé par de fortes tensions émanant du détenteur privé des brevets sur les gènes BRCA1 et BRCA2. Dans un premier temps, ce texte exposera quels sont ou peuvent être les apports de l'évaluation économique dans le processus d'introduction en clinique de ces pratiques de médecine prédictive. Pour illustrer ces propos, nous donnerons à la suite un exemple d'évaluation économique. En conclusion, nous présenterons pourquoi cette approche économique s'avère finalement si importante pour assurer le bon fonctionnement de notre système de santé. Dans cet exposé, nous nous limiterons au cas de la prédisposition au cancer du sein ou de l'ovaire.

QUELLE CONTRIBUTION POUR L'ÉVALUATION ÉCONOMIQUE ?

Après l'identification des gènes BRCA1 et BRCA2, respectivement en 1994 et en 1995, une douzaine de travaux d'évaluation économique ont été publiés pour la prédisposition au cancer du sein ou de l'ovaire, les trois quarts n'étant parus qu'à partir de l'année 2000. Ces analyses ont pour la plupart estimé les coûts et les gains de survie, brute (Grann *et al.,* 1999) ou ajustée sur la qualité de vie (Grann *et al.,* 1998), à attendre de la mise en place des tests génétiques BRCA1/2, donc d'une prise en charge médicale spécifique pour les femmes identifiées par le test à haut risque héréditaire de cancer du sein ou de l'ovaire. Le problème est donc bien souvent posé de manière globale. Est-ce que ces tests permettent d'améliorer la survie ? Et si oui, à quel coût ? Ainsi, c'est la notion de l'intérêt des tests BRCA1/2 qui est au centre des analyses. Toutefois, comme ces évaluations économiques intègrent au fur et à mesure les avancées de la recherche en matière de prise en charge médicale, elles permettent aussi de comparer les options préventives de plus en plus nombreuses pouvant être proposées aux femmes à haut risque. En effet, alors qu'au départ les études (Grann *et al.,* 1998 ; Grann *et al.,* 1999 ; Heimdal *et al.,* 1999) considèrent uniquement les stratégies de surveillance régulière ou de chirurgie prophylactique (mastectomie et/ou ovariectomie), les analyses publiées par la suite vont prendre en compte d'autres stratégies envisageables, incluant notamment les options moins mutilantes de chimioprévention (Brain *et al.*, 2000 ; Grann *et al.*, 2000a ; Grann *et al.*, 2000b ; Armstrong *et al.*, 2001) qui connaissent une meilleure acceptabilité de la part des patientes que les options lourdes de chirurgie même si leur efficacité reste encore très controversée. Bien que ces analyses globales soient nécessaires pour avoir une vue d'ensemble des coûts et de l'efficacité (survie) ou de l'utilité (QALYs) de ces nouvelles pratiques diagnostiques, elles se font toutefois en supposant notamment un état des pratiques biologiques et médicales qui peut lui-même être remis en question d'autant que pour ces activités de transfert, les modes de fonctionnement utilisés en recherche restent souvent inchangés après le passage en clinique. Les choix ne portent donc pas uniquement sur l'utilisation ou non des tests ou sur les stratégies de prise en charge médicale des individus à haut risque, mais aussi sur les modes d'organisation des pratiques qui conditionnent d'ailleurs de beaucoup les résultats d'études plus globales. Ainsi, les choix relatifs aux conditions de réalisation des tests peuvent aussi être éclairés par l'évaluation économique, que ce soit le choix de la population à tester (Lawrence *et al.,* 2001) ou des modalités techniques de déroulement des consultations et des analyses biologiques. C'est dans cette logique que s'inscrit l'évaluation économique des stratégies de première recherche de mutation BRCA1 (Sevilla *et al.*, 2002), un exemple que nous allons présenter de manière plus détaillée.

UNE ANALYSE COÛT-EFFICACITÉ DES MODALITÉS DE TEST

La recherche de mutation germinale sur les gènes BRCA1 et BRCA2 est une analyse complexe de biologie moléculaire. Plusieurs stratégies d'analyse sont possibles pour une telle recherche, mais actuellement, en raison du très grand nombre de mutations présentes sur ces gènes et de leur très grande diversité notamment dans nos populations européennes, toutes ces stratégies sont fondées sur l'étude initiale de la totalité de la séquence codante (exons) des deux gènes chez les personnes ayant déjà développé la maladie dans la famille (cas index). La stratégie de référence est le séquençage direct de la séquence codante. Cette stratégie, utilisée aux États-Unis par Myriad Genetics, le détenteur des brevets américains sur BRCA1 et BRCA2, est fastidieuse et très coûteuse pour des gènes aussi longs. Pour cette raison, d'autres stratégies moins lourdes sont utilisées par d'autres laboratoires. Ce sont des stratégies en deux étapes qui comprennent dans un premier temps, l'utilisation de techniques particulières dites de criblage permettant de repérer grossièrement la présence possible d'une mutation et dans un second temps, une étape de caractérisation de l'anomalie éventuellement détectée grâce au séquençage ciblé de la région d'intérêt. Face à ces nombreuses possibilités, se pose le problème de la détermination des stratégies optimales. En effet, dans ce domaine, il existe une très grande hétérogénéité des pratiques (Sevilla *et al.*, 2004), les laboratoires étant libres de leur choix, d'ailleurs très souvent conditionné par les pratiques utilisées et l'expertise acquise lors de la phase de recherche. Nous présentons ici l'analyse coût-efficacité qui a été réalisée sur les différentes stratégies d'identification de mutation ponctuelle (Sevilla *et al.*, 2002). Comme les techniques sont identiques pour les deux gènes, cette évaluation ne porte que sur l'analyse du gène BRCA1.

Les 20 stratégies considérées représentent toutes les combinaisons envisageables admissibles pour l'analyse de la séquence codante du gène. Ce sont le séquençage direct et les stratégies en deux étapes avec une possible utilisation de deux techniques pour la première étape, l'une pour l'exon 11 uniquement et l'autre pour les 21 exons restants. Les techniques évaluées sont : le séquençage direct, la *denaturing high performance chromatography* (DHPLC), la *single-strand conformation polymorphism* (SSCP), la *denaturing gradient gel electrophoresis* (DGGE), le *protein truncation test* (PTT), l'*heteroduplex analysis* (HA) et la *fluorescence-assisted mismatch analysis* (FAMA). L'évaluation économique repose sur une estimation des coûts réalisée simultanément dans les laboratoires de biologie moléculaire de trois instituts français (Curie, Gustave-Roussy et Paoli-Calmettes). Les coûts estimés sont le résultat d'une observation détaillée des différentes étapes de chaque technique. Ils ont été évalués grâce à la mesure des quantités physiques de consommables, d'équipement et de personnel. La valorisation monétaire s'est effectuée sur la base des prix de 1999. La productivité est supposée optimale sous la contrainte du nombre annuel de jours travaillés et de la durée journalière du temps de travail. Dans la mesure où certaines stratégies requièrent l'utilisation d'équipements très onéreux, différentes hypothèses sur le niveau d'activité des équipements sont envisagées. Les valeurs d'efficacité sont extraites de l'ensemble des publications parues à la date de l'étude. Enfin, on suppose que les différentes stratégies sont utilisées sur une population théorique de 10 000 cas index, chacun ayant une probabilité égale à 15 % d'être porteur d'une mutation germinale sur BRCA1.

Trois grands résultats ressortent de cette étude. Premièrement, pour une utilisation maximale des équipements, l'évaluation des coûts nous indique que la stratégie de référence est associée au coût moyen par patient le plus élevé (1 032 €). En comparaison, les stratégies en deux étapes permettent de réduire le coût de 30 % à 90 %. Deuxièmement, si le niveau d'utilisation des équipements propres à chaque technique varie, alors seules quelques stratégies accusent une forte augmentation de leur coût : c'est le cas par exemple pour le séquençage et les stratégies qui utilisent en premier lieu la FAMA ou la DHPLC. L'analyse de sensibilité révèle ainsi qu'en deçà d'un certain niveau d'activité (40 % de l'utilisation maximale de l'automate), la stratégie de criblage par la DHPLC devient plus chère que toutes les autres stratégies de criblage exception faite de celles impliquant la FAMA. L'automatisation n'est donc un choix efficient que si l'activité du laboratoire tous gènes confondus est soutenue. Troisièmement, l'analyse coût-efficacité nous montre que quinze stratégies, dont la stratégie de référence, sont dominées du point de vue du critère coût-efficacité. Parmi les cinq stratégies non dominées, la plus coût-efficace correspond à la combinaison dans une première étape du PTT sur l'exon 11 et de la technique HA sur les autres exons, toutefois cette stratégie conduirait à un taux de faux-négatifs élevé de 13 %. Les quatre autres stratégies sont certes associées à un ratio coût-efficacité moins favorable, mais elles permettent d'atteindre un taux de faux-négatifs plus bas, compris entre 0 % et 6 % : ce sont, par ordre croissant de sensibilité, les stratégies impliquant le PTT sur l'exon 11 combiné à la DHPLC, ou la DHPLC seule, ou la FAMA sur l'exon 11 associée à la DHPLC, ou finalement la FAMA seule.

QUELS ENJEUX POUR LE SYSTÈME DE SANTÉ ?

Les évaluations économiques sont des instruments utiles pour les professionnels de santé et les décideurs dans la mesure où elles permettent d'évaluer l'efficience des différentes alternatives possibles dans un objectif d'allocation optimale des ressources, fondamentale pour le bon fonctionnement et la pérennité d'un système socialisé comme c'est le cas en France, au niveau des pratiques afférentes à une pathologie, entre les différentes pathologies, donc au niveau global dans le système de santé. Dans le cas des tests génétiques, les apports de l'évaluation économique sont d'autant plus cruciaux que l'on s'attend à une augmentation de l'offre et de la demande dans les prochaines années (Inserm, 2003).

Pour les tests de prédisposition au cancer du sein ou de l'ovaire, ce problème risque d'être exacerbé du fait des prérogatives que le détenteur des brevets sur les gènes revendique sur toute l'activité diagnostique aux États-Unis et possiblement en Europe, si l'extension des brevets sur BRCA1 et BRCA2 aux pays de l'Union européenne devait être finalement accordée par l'office européen des brevets. En effet, si la firme privée américaine peut finalement avoir la mainmise sur le marché européen des tests BRCA1/2, elle voudra d'une part imposer, comme elle le fait déjà aux États-Unis, son propre mode de fonctionnement aux acteurs de santé et aux organismes payeurs. Ainsi, les lieux de réalisation des tests, les laboratoires licenciés, les techniques d'analyse utilisées et le prix facturé relèveront des choix discrétionnaires de la firme, même si ses décisions vont à l'encontre du principe d'efficience économique comme le montre d'ailleurs l'exemple du choix de la stratégie d'analyse (*cf. supra*). D'autre part, si l'offre de tests est monopolisée par la firme, privée à but lucratif, il est fort probable que l'augmentation future de la demande de tests BRCA1/2 soit nettement plus importante que celle qui peut être attendue dans le contexte français actuel, caractérisé par une offre de tests émanant de plusieurs établissements de santé publics, ou privés mais s'inscrivant toujours dans une mission de service public hospitalier. En effet, la logique de la firme privée est clairement d'accroître la population à tester (Birmingham, 1997). En France, cette tendance à l'augmentation de la demande pourrait découler de la conjonction de trois facteurs. Premièrement, la France possède une législation en matière de discrimination protégeant les individus à risque vis-à-vis de leurs assureurs (article L1141-1 du Code de la santé publique), ce qui peut favoriser l'expression de la demande. Deuxièmement, la firme est très active en matière de communication auprès des professionnels de santé, mais aussi auprès de la population générale. Ainsi, aux États-Unis, la firme a lancé des campagnes publicitaires dans la presse et à la télévision (Hull et Prasad, 2001). Certains auteurs s'interrogent d'ailleurs sur les dangers de la publicité pour les tests génétiques auprès du grand public compte tenu de la simplification à outrance d'une information médicale pourtant complexe, des connaissances souvent limitées de la population en génétique, de l'utilité clinique parfois contestée de certains tests et de l'impact émotionnel de ces annonces (Wolfe, 2002 ; Gollust *et al.*, 2002). Même si en France, le code de la santé publique interdit toute publicité en faveur d'un laboratoire d'analyses de biologie médicale, cependant à l'exception de l'information scientifique délivrée aux médecins et aux pharmaciens (article L6211-7 du code de la santé publique), reste toutefois pour le grand public le problème de la diffusion de l'information sur internet (http://www.myriadtests.com) (Williams-Jones, 2003). Troisièmement, en France, il se peut que le nombre de médecins prescripteurs augmente progressivement. En effet, actuellement, même si le code de la santé publique autorise la prescription par tout médecin, toutefois dans le seul cas de patients symptomatiques, la prescription est en pratique limitée aux médecins en charge des consultations d'oncologie génétique, soit 40 en 2001 répartis dans 34 centres français (Sevilla *et al.,* 2004). Cependant, si la firme intensifie la diffusion de l'information auprès des professionnels de santé et de la population générale, il se peut que des médecins en dehors du cadre des consultations d'oncologie génétique soient amenés à prescrire ces analyses. L'élargissement dans les faits de la prescription aux médecins généralistes et spécialistes d'organes entraînerait vraisemblablement une augmentation exagérée de la demande du fait de la difficulté de l'appréciation du risque héréditaire et des pressions possiblement exercées sur les médecins par les actions commerciales de la firme (Wazana, 2000 ; Armstrong *et al.,* 2002), mais surtout par les patients (Findlay, 2001) qui expriment parfois une demande fondée sur une mauvaise perception de leur risque, phénomène qui sera certainement accru si la circulation d'une information simpliste (Gollust *et al.,* 2002) et anxiogène (Wolfe, 2002) est à l'avenir intensifiée. Ainsi, une enquête canadienne réalisée auprès de 351 médecins généralistes montre qu'en matière de prévention secondaire du cancer, lorsqu'un patient se trouve à la limite des recommandations de dépistage, son anxiété et ses attentes vont peser sur la décision de prescrire quand même l'examen médical (Tudiver *et al.,* 2002).

Les tests génétiques de prédisposition au cancer représentent une des avancées récentes majeures de la recherche scientifique en cancérologie. S'ils sont porteurs d'espoir en matière d'amélioration du dépistage et de la prévention du cancer, ils représentent aussi tout un défi pour le système de santé. Et dans ce grand enjeu qu'est l'intégration des nouvelles pratiques dans le système de santé, la contribution de l'évaluation économique s'avère indispensable pour améliorer la cohérence entre l'efficacité médicale, les préférences des patients et les dépenses de santé. À l'heure actuelle, un obstacle majeur limite toutefois les travaux d'évaluation économique dans ce domaine de médecine prédictive : c'est le manque de données primaires, notamment concernant la distribution des populations en fonction du risque d'être porteur, l'efficacité de toutes les options possibles de prise en charge médicale et leur acceptabilité.

Tests génétiques en cancérologie et discriminations

F. Eisinger

Identifier une discrimination, c'est caractériser à la fois *le champ où elle s'exerce* (juridique, économique, médicale, etc.) *et l'outil utilisé* pour distinguer les personnes. L'éthique, le juridique et le politique convergent pour définir les frontières et les nouveaux équilibres entre solidarité, équité, efficacité et justice. Mais l'apparition ou le développement d'outils permettant une nouvelle classification des personnes posent le problème du risque d'une utilisation jugée socialement néfaste.

Si discriminer peut s'entendre d'un point de vue neutre comme la capacité à distinguer ou, à un degré de plus, comme la volonté de séparer, la discrimination serait une différenciation *jugée non légitime*. Pour reprendre la définition du vocabulaire juridique (Cornu, 1987) : est discriminatoire, une différenciation contraire au principe de l'égalité civile. La loi interdit de fonder des distinctions *juridiques* sur le sexe, les opinions politiques ou syndicales, la situation de famille, l'état de santé, le handicap, l'origine, l'appartenance ou la non-appartenance (vraie ou supposée) à une nation, une ethnie ou une race. Par extension, la discrimination s'oppose à l'égalité de traitement. Paradoxalement, le terme « discrimination » est absent du dictionnaire d'éthique et de philosophie morale.

DISCRIMINATION, ÉQUITÉ, ÉTHIQUE

Les liens entre équité et discrimination sont complexes. Pour essayer de clarifier ces relations il est sans doute utile de distinguer deux formes d'équités : une équité horizontale qui consiste à traiter de la même manière deux personnes identiques (mais sur quels critères ?) et une équité verticale qui consiste à traiter différemment (mais jusqu'où ?) deux personnes différentes. Cette dernière action est parfois considérée comme une *discrimination positive.* On pourrait donc opposer d'un côté équité horizontale et discrimination (implicitement négative) et assimiler équité verticale et discrimination positive.

La Déclaration Universelle des Droits de l'Homme (adoptée par l'assemblée générale des Nations Unies le 10 décembre 1948 à Paris) aborde ce thème dès son article 1 : « Tous les êtres humains naissent libres et égaux *en dignité et en droits* » et dans son article 22 : « Toute personne, en tant que membre de la société, a droit *à la sécurité sociale ;* elle est fondée à obtenir la satisfaction des droits économiques, sociaux et culturels indispensables à sa dignité et au libre développement de sa personnalité ».

Il est ainsi *des domaines,* les droits des personnes et en particulier le droit à la sécurité sociale, pour lesquels il n'existe *aucun critère légitime* de discrimination. Et le développement des outils technologiques ne semble pas menacer ce consensus social sur la dignité et le droit. Pour d'autres situations et d'autres domaines, il existe des critères légitimes de différenciation et des critères qui ne le sont pas. Ainsi, la discrimination trouve sa source soit dans le domaine où elle est appliquée soit dans les critères utilisés.

Par exemple pour un emploi, le choix d'un candidat sur ses diplômes est considéré comme légitime, en revanche l'utilisation de l'appartenance ethnique est discriminatoire. Ce partage, entre critère légitime et critère illégitime est un processus social évolutif et porte à la fois sur les critères et sur les champs d'application. Ces deux axes seront successivement traités en perspective du développement d'une médecine prédictive basée sur les analyses génétiques constitutionnelles des personnes.

DISCRIMINATION SELON L'OUTIL (GÉNÉTIQUE)

Une discrimination à l'embauche qui utiliserait des tests génétiques serait en France discriminatoire. Néanmoins, cette position de principe largement admis *a priori* pourrait dans certaines situations particulières faire l'objet de débat. Ces situations portent soit sur les conséquences des anomalies génétiques (cas hypothétique d'une augmentation du risque de mort subite [Ackerman *et al.* 2003] pour un pilote de ligne) ou des interactions particulières gène environnement (McCanlies *et al.* 2003). En dehors de ces cas méritants débat et régulation particulière, le principe de l'interdiction de l'utilisation de tests génétiques est admis.

En revanche concernant la « sécurité sociale », il est possible d'imaginer un antagonisme entre ce principe moral, parfois renforcé par des dispositions légales voire constitutionnelles d'une part et d'autre part une organisation économique basée sur le principe de l'équité actuarielle (Maddox, 1991 ; Ewald et Moreau, 1994). Dans des sociétés où la protection sociale contre la maladie serait organisée autour d'un marché concurrentiel et les primes calculées en fonction des risques, une personne ayant un risque très élevé de développer une maladie coûteuse devrait *équitablement* payer une prime plus importante. Il est important de souligner que *ce n'est pas le principe d'équité* qui s'oppose à ce risque de discrimination (au contraire) *mais le principe de solidarité* au profit des personnes défavorisées.

La situation caricaturale est celle d'une maladie liée à une anomalie génétique ayant une pénétrance totale (toutes les personnes ayant la mutation seront atteintes à partir d'un certain âge) et n'ayant pas de phénocopie (seules les personnes ayant l'anomalie génétique seront atteintes par la maladie). Au nom de l'équité verticale une personne n'ayant pas d'anomalie génétique pourrait revendiquer une réduction de prime relative à la couverture d'un risque auquel elle n'est pas exposée. Cependant, plusieurs éléments peuvent être avancés pour s'opposer à cette demande.

- *Une rationalité « comptable ».* En effet, si le coût d'accès à l'information (analyse génétique visant à mettre en évidence une mutation pathogène) dépasse la réduction de prime espérée, il n'y a aucun « intérêt » à réaliser cette recherche. La multiplicité des menaces potentielles entraînerait des coûts de transactions exorbitants (pondération par individu des sur-primes liées au surrisque et réduction de prime liée à l'absence de mutation voire à des mutations/polymorphismes « protecteurs »).
- *Une rationalité éthique* qui donne la priorité aux valeurs de solidarité aux dépens d'une (pseudo) équité économique.
- *Une rationalité organisationnelle,* correspondant au mode de financement de l'assurance maladie. En effet, dans une société (comme la France) où les cotisations (équivalent des primes) sont fonction des

revenus et non des risques, le niveau différent des risques n'a aucun impact sur le niveau des prélèvements et donc le risque de discrimination est structurellement absent. Là encore il faut insister sur le fait que c'est le caractère obligatoire ou unique de ce mode de financement qui le protège. En effet, en théorie, les faibles risques s'ils avaient la possibilité de choisir une assurance pourraient être tentés de choisir une assurance qui tiendrait compte des risques, puisque les leurs seraient supposés être bas. Ainsi le caractère unique et obligatoire de l'assurance-santé protège de la discrimination en imposant la solidarité des personnes quel que soit leur risque. Cette position de principe est parfois discutée à propos de comportements à risques jugés délibérément « choisis » (parachutisme, accident de voiture à grande vitesse, et parfois alcoolisme...).

- *Une norme juridique.*

UN TEXTE DE LOI PARTICULIÈREMENT IMPORTANT

Malgré le développement rapide des outils génétiques, la législation française s'est déjà adaptée pour s'opposer à des risques réels (même si parfois ces risques sont construits sur des bases scientifiques incertaines). Actuellement, elle protège *dans les faits* les individus contre des discriminations majeures. La Loi 2002-303 du 4 mars 2002 relative aux droits des malades et à la qualité du système de santé l'exprime de manière non ambiguë dans son article 4 (*Journal officiel* du 5 mars 2002) : *« Nul ne peut faire l'objet de discriminations en raison de ses caractéristiques génétiques. »* Elle stipule également que : *« Les entreprises et organismes qui proposent une garantie des risques d'invalidité ou de décès ne doivent pas tenir compte des résultats de l'examen des caractéristiques génétiques d'une personne demandant à bénéficier de cette garantie, même si ceux-ci leur sont transmis par la personne concernée ou avec son accord. En outre, ils ne peuvent poser aucune question relative aux tests génétiques et à leurs résultats, ni demander à une personne de se soumettre à des tests génétiques avant que ne soit conclu le contrat et pendant toute la durée de celui-ci ».*

Les raisons de cette adaptation rapide de la loi, à ce qui pouvait légitimement être considéré comme une menace, sont sans doute à chercher dans plusieurs directions. Par exemple, la référence historique aux anciennes dérives de la génétique (la prestigieuse revue : *American Journal of Human*

Genetics s'est appelée depuis sa création en 1906 jusqu'en 1948, *American Journal of Eugenics*) ; la résonance d'actions basées sur les caractéristiques génétiques d'une personne est toujours présente et prégnante ; ou encore l'absence de responsabilité des personnes dans leur exposition à ce facteur de risque, non choisi, non modifiable.

On pourrait considérer que l'existence même de cette loi clôt le débat et ne nécessite aucun autre argument la défendant et ainsi se contenter du consensus social qui s'exprime au travers de cette disposition légale pour justifier cet interdit. Mais à côté de cette protection, une meilleure connaissance des outils et des valeurs prédictives des tests de génétique moléculaire est le meilleur garant de l'absence de développement de *conception ou de représentation* discriminatoire.

Les arguments qui sont présentés ne sont donc qu'une analyse complémentaire de nature « rationnelle », à côté de l'interdit légal.

LES LIMITES « SCIENTIFIQUES » OPPOSÉES À UNE VOLONTÉ DISCRIMINATOIRE

D'un point de vue scientifique, en effet, l'outil servant à la discrimination devrait être évalué dans ses performances par la mesure de ses valeurs prédictives positives (VPP) et négatives. Autrement dit à partir de la connaissance d'un génotype particulier, quelle est la probabilité qu'une maladie apparaisse et quelle est la probabilité pour qu'elle n'apparaisse pas ?

Concernant la valeur prédictive positive elle dépend de trois facteurs (Khoury, 1985) :

- la fréquence de la population ayant une mutation délétère ;
- le risque relatif induit en cas de présence de la mutation délétère par rapport au cas sans mutation délétère ;
- et la fréquence de la maladie dans la population étudiée.

Ainsi pour une maladie qui atteint 5 % de la population en cas de risque relatif de 10 la VPP sera de 50 % si le génotype est rare (0,1 %) et de l'ordre de 26 % si le génotype est fréquent (10 %). Pour des risques relatifs plus faibles, les VPP diminuent rapidement (pour un risque relatif de 2 les VPP « stagnent » autour de 9 à 10 %). De même en cas de maladies pour lesquelles la part attribuable des cas liés à une anomalie génétique constitutionnelle est faible, les valeurs prédictives négatives seront basses.

En dehors de rares exceptions les valeurs prédictives sont notablement insuffisantes pour pouvoir utiliser à ce jour les tests génétiques comme outil ayant une capacité discriminatoire suffisante (Holtzman et Marteau, 2000). (On note ainsi qu'une capacité discriminatoire insuffisante rend discriminatoire leur utilisation).

QUELQUES PRISES DE POSITIONS INTERNATIONALES

Concernant l'adoption de prise de position contre l'utilisation de l'outil génétique pour exercer une discrimination, on note de très nombreuses positions de sociétés savantes (NIH/DOE Working Group, 1993, Watson, 2001, Asco, 2003, Eurogapp, 2003) de même l'Organisation Mondiale de la Santé se préoccupe de ces risques (www.who.int/mip-files/1970/Genetics, HealthandSociety.pdf). Plus significatif encore que les positions des sociétés savantes ou des institutions, il existe des dispositions législatives explicitant l'interdiction d'une telle utilisation. Dans un pays comme les États-Unis où le système de protection sociale en terme d'assurances maladies n'est pas à l'abri de discrimination (Orsi *et al.*, 1996 ; Eisinger *et al.*, 1998), l'immense majorité des états (48 sur 51) ont adopté des lois réglementant l'utilisation de ces tests dans le cadre du risque maladie/soins (Clayton, 2003). De manière intéressante on peut noter que l'Alabama établit une loi portant exclusivement sur le cancer. En revanche, peu d'États ont limité l'utilisation de ces tests pour l'obtention d'assurance-vie (11 sur 51). Enfin un nombre intermédiaire d'États a jugé nécessaire une loi sur l'emploi (29 sur 51).

CONCLUSION ET PERSPECTIVES

Ainsi concernant les risques de discrimination concernant l'assurance santé, il existe cinq niveaux s'y opposant :

1. les faibles valeurs prédictives (Hoy *et al.*, 2003) ;
2. les coûts d'accès à l'information (coûts des tests) ;
3. l'hostilité des médecins et des sociétés savantes à l'égard de telles pratiques ;
4. structurellement le mode de construction de l'assurance santé où les contributions sont basées sur les revenus et non sur les risques (Eisinger *et al.*, 1998) ;
5. la loi.

Le point 2 est sous la menace d'évolution technologique rendant les tests moins coûteux.

Concernant les risques de discrimination portant sur les assurances santé complémentaires, le point 4 n'est pas pertinent.

Concernant les risques (plus important) de discrimination portant sur l'assurance-vie, le point 4 n'est pas pertinent et le point 1 à moins d'impact dans la mesure ou, contrairement aux soins, la personne choisit le coût du « dommage ».

En France, on peut raisonnablement considérer que les développements de la génétique n'induiront pas de risques de discrimination en raison essentiellement des dispositifs législatifs anciens ou construits en parallèle aux innovations. Il convient néanmoins de prêter attention :

- au développement de représentations discriminatoires malgré l'absence de fondement scientifique.
- à d'éventuelles transgressions de la part de groupes ne respectant pas l'interdit légal (éventuel refus d'assurance).
- à l'apparition éventuelle de risques ou de dysfonctions induits par cette protection légale.

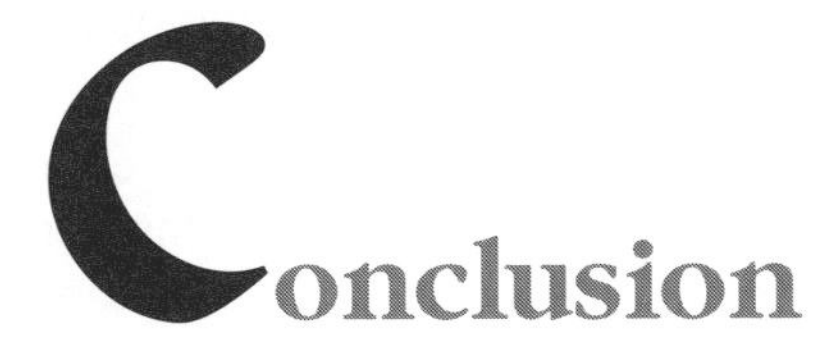

Conclusion

C. Julian-Reynier, J. Pierret, F. Eisinger

L'introduction des tests de prédisposition génétique aux cancers dans la médecine clinique de « routine » est une pratique récente dont nous vivons actuellement la mise en place dans la plupart des pays industrialisés et tout particulièrement au niveau de notre système de santé. Les exemples internationaux confrontés aux pratiques françaises sont ici d'un grand enseignement.

L'organisation du Plan Cancer a permis d'accélérer très rapidement la diffusion de cette activité jusqu'alors financée sur des fonds de recherche et sur des budgets non récurrents. Le couplage de tests de prédisposition à une offre systématique de consultations multidisciplinaires spécialisées, rendues obligatoires d'un point de vue législatif pour les personnes non malades demandant à être testées, est un facteur autolimitant d'un débordement non contrôlé de cette pratique dans notre pays. La spécificité de notre système de santé et notamment de son système de couverture sociale impose cependant de rester vigilant et critique quant aux différentes implications de ces activités. Implications cliniques et biologiques nécessitant une surveillance d'indicateurs de qualité et d'efficacité ainsi que l'actualisation régulière des recommandations de bonnes pratiques adaptées au rythme de production des connaissances nouvelles. Implications sociales et économiques à partir du moment où la possibilité de « sortir » du cadre régulateur existe. La prescription de tests de prédisposition génétique chez les personnes malades pouvant être réalisée par tous les médecins, généralistes et spécialistes, impose une formation adaptée de tous les médecins.

La cancérologie est le premier domaine de maladies communes « colonisé » par la génétique. À ce titre, elle est une pionnière exemplaire puisque l'ensemble de la médecine est maintenant concerné de près ou de loin par des tests génétiques. Exemplaire dans ses applications puisque souhaitée promotrice d'une prévention adaptée, elle met cependant en lumière les difficultés de cette prévention pour laquelle efficacité médicale ne rime pas forcément avec acceptabilité sociale. La dynamique d'acquisition des connaissances biologiques reste pour l'instant beaucoup plus rapide que celle des connaissances cliniques quant à l'optimisation des mesures de prise en charge qu'elles soient du domaine médical, chirurgical ou psychologique. L'oncologie génétique a comme tâche de construire un modèle intégrant la prévention. Ce modèle de diffusion des connaissances nouvelles a pour caractéristique un renouvellement permanent. C'est également un modèle d'apprentissage pour des professionnels médicaux et paramédicaux aux côtés de généticiens mais aussi de manière complémentaire des associations de malades, pouvant par leur présence active renforcer la prise en compte globale des enjeux individuels et sociaux pour le patient et sa famille.

Références bibliographiques

· Ackerman MJ, Tester DJ, Jones GS, Will ML, Burrow CR, Curran ME. Ethnic differences in cardiac potassium channel variants : implications for genetic susceptibility to sudden cardiac death and genetic testing for congenital long QT syndrome. *Mayo Clin Proc* 2003 ; 78 (12) : 1479-87.

· Advisory Committee on Genetic Testing (ACGT). *Report on Genetic Testing for Late Onset Disorders, Health Department of the United Kingdom,* September 1998.

· Aktan-Collan K, Haukkala A, Mecklin JP, Uutela A, Kaariainen H. Comprehension of cancer risk one and 12 months after predictive genetic testing for hereditary non-polyposis colorectal cancer. *J Med Genet* 2001 ; 38 : 787-92.

· American Society of Clinical Oncology (ASCO). Genetic Testing for Cancer Susceptibility. *Journal of Clinical Oncology* 1996 ; 14 : 1730-6.

· American Society of Clinical Oncology. American Society of Clinical Oncology policy statement update : genetic testing for cancer susceptibility. *J Clin Oncol* 2003 ; 21 (12) : 2397-406.

· Andrykowski MA, Lightner R, Studts JL, Munn RK. Hereditary cancer risk notification and testing : how interest is the general population. *J Clin Oncol* 1997 ; 15 : 2139-48.

· Antoniou A, Pharoah PD, Narod S, *et al.* Average risks of breast & ovarian cancer associated with BRCA1 or BRCA2 mutations det ected in case Series unselected for family history : a c ombined analysis of 2 2 studies. *Am J Hum Genet* 2003 ; 72 : 1117-30.

· Armstrong D. The rise of surveillance medicine. *Sociology of Health and Illness,* 1995 ; (3) : 393-404.

· Armstrong D. Clinical autonomy, individual & collective : the problem of changing doctor's behavior. *Social Science and Medicine* 2002 ; 55 : 1771-7.

· Armstrong K, Chen TM, Albert D, Randall TC, Schwartz JS. Cost-effectiveness of raloxifene and hormone replacement therapy in postmenopausal women : impact of breast cancer risk. *Obstetrics & Gynecology* 2001 ; 98 : 996-1003.

· Armstrong K, Stopfer J, Calzone K, Fitzgerald G, Coyne J, Weber B. What does my doctor think ? Preferences for knowing the doctor's opinion among women considering clinical testing for BRCA1/2 mutations. *Genetic Testing* 2002 ; 6 : 115-8.

· Arrow K. Economic Welfare and Allocation of Resources for Inventions, in : RR Nelson, ed.: *The Rate and Direction of Inventive Activity.* Princeton, NJ : Princeton University Press, 1962.

· Baillet F. *Pas de psycho-oncologie sans psycho-oncologues.* Travaux du XVIe congrès de la SFPO, 7 décembre 1999.

· Baszanger I, Gaudillière J-P, Löwy I. Avant-Propos : Légitimer et Réguler les innovations biomédicales. *Sciences Sociales et Santé* 2000 ; 18 : 5-10.

· Beller U, Halle D, Catane R, *et al.* High frequency of BRCA1 and BRCA2 germline mutations in Ashkenazi Jewish cancer ovarian patients, regardless of family history, *Gynecological Oncology* 1997 ; 67 (2) : 123-6.

· Bensing J. Bridging the gap. The separate worlds of evidence-based medicine & patient-centered medicine. *Patient Education & Counseling* 2000 ; 39 : 17-25.

· Berg M. *Rationalizing Medical Work. Decision Support Techniques & Medical Practices.* Cambridge : MIT Press, 1997.

· Bignon YJ, Dessenne, Sibille C, Joos A, Lehman A. L'impact psychique de la consultation d'oncogénétique sur l'entourage familial. Travaux du XVIe congrès de la SFPO, 7 décembre 1999.

· Birmingham K. Myriad's rationale for wider testing. *Nature Medicine* 1997 ; 3 : 709.

· Bonadona V, Saltel P, Desseigne F, *et al.* Cancer patients who experienced diagnostic genetic testing for cancer susceptibility : reactions and behavior after the disclosure of a positive test result. *Cancer Epidemiol Biomarkers Prev* 2002 ; 11 : 97-104.

· Bouchard LJ, Blancquaert I, Eisinger F, *et al.* Prevention and genetic testing for breast cancer : variation in medical decisions. *Social Sciences and Medicine* 2004 ; 58 : 1085-96.

· Bourret P. BRCA patients and clinical collectives. New configuration of action in Cancer Genetics practices. *Social Studies of Science* 2005 (sous presse).

· Brain K, Gray J, Norman P, *et al.* Randomized trial of a specialist genetic assessment service for familial breast cancer. *Journal of the National Cancer Institute* 2000 ; 92 : 1345-51.

· Braithwaite D, Emery J, Walter F, Prevost AT, Sutton S. Psychological impact of genetic counseling for familail cancer : a systematic review and meta-analysis. *J Natl Can Inst 2004* : 96 : 122-33.

· Broadstock M, Michie S. Psychological consequences of predictive genetic testing : a systematic review. *Eur J Hum Genet* 2000 ; 8 (10) : 731-8.

· Callon M, Lascoumes P, Barthe Y. *Agir dans un monde incertain.* Paris : Le Seuil, 2001.

· Canguilhem G. *Le Normal et le Pathologique.* Presses Universitaires de France, 1993, 4e édition.

· Casamayou MH. *The Politics of Breast Cancer.* Washington : Georgetown University Press, 2000.

· Cassier M. *Brevet et santé, Dictionnaire de la Pensée Médicale*, sous la direction de D Lecourt. Paris : PUF, 2004 : 185-90.

· Cassier M, Gaudillière JP. Recherche, médecine et marché : la génétique du cancer du sein. *Sciences Sociales et Santé* 2000 ; 18 (4) : 29-49.

· Castel R. *La gestion des risques.* Paris : Éditions de Minuit, 1981.

· Castel P, Merle I. Quand les normes de pratiques deviennent une ressource pour les medecins : When standards become a resource for doctors : The case of oncology. *Sociologie du Travail* 2002 ; 44 : 337-55.

· Claes E, Evers-Kiebooms G, Boogaerts A, Decruyenaere M, Denayer L, Legius E. Communication with close and distant relatives in the context of genetic testing for hereditary breast and ovarian cancer in cancer patients. *Am J Med Genet* 2003 ; 116A : 11-9.

· Clayton EW. Ethical, legal, and social implications of genomic medicine. *N Engl J Med* 2003 ; 349 (6) : 562-9.

· Comité Consultatif National d'Éthique pour les Sciences de la Vie et de la Santé. *Génétique et médecine – De la prédiction à la prévention.* La Documentation Française, Paris, 1997.

· Comité Consultatif National d'Éthique pour les Sciences de la Vie et de la Santé. À propos de l'obligation d'information génétique familiale en cas de nécessité médicale. Avis n° 76, *Les Cahiers du CCNE*, n° 36, 2003.

· Conrad P. A mirage of genes. *Sociology of Health and Illness* 1999 ; 21 (2) : 228-41.

· Coriat B, Orsi F. Establishing a New Intellectual Property Rights Regime in the United States : Origins, Content, Problems. *Research Policy* 2002 ; 31 (8-9) : 1491-1507.

· Cornu G, Capitant H. *Vocabulaire Juridique.* Paris : PUF, 1987.

· Costalas JW, Itzen M, Malick J, *et al.* Communication of BRCA1 and BRCA2 results to at risks relatives : a cancer risk assessment program's experience. *Am J Med Genet* 2003 ; 119C : 11-8.

· Crawford R. You are dangerous to your health : the ideology and politics of victim-blaming. *International Journal of Health Services* 1977 ; VII : 663-80.

· Croyle RT, Smith KR, Botkin JR, Baty B, Nash J. Psychological responses to BRCA1 mutation testing : preliminary findings. *Health Psychology* 1997 ; 16 (N = 1) : 63-72.

· Dasgupta P et David P. Toward a New Economics of Science. *Research Policy* 1994 ; 23 (5) : 487-521.

· de Bock G, van Aspren C, de Vries J, *et al.* How Women with a Family History of Breast Cancer and their General Practitioners Act on Genetic Advice in General Practice : Prospective Longitudinal Study. *British Medical Journal* 2001 : 322 : 26-7.

· Directive 98/44/CE du parlement Européen et du Conseil du 6 juillet 1998, « Protection Juridique et Inventions Biotechnologiques », *JOCE,* N° L213, 30 juillet.

· Dodier N. *Leçons politiques de l'épidémie de sida*, Paris : EHESS, 2004.

· Donai D, Elles R. Integrated Regional Genetic Services : Current and Future Provision. *British Medical Journal* 2001 ; 322 : 1048-52.

· DudokdeWit AC, Tibben A, Frets PG, *et al.* BRCA1 in the family : a case description of the psychological implications. *Am J Med Genet* 1997 ; 71 : 63-71.

· Eisenberg R. Property Rights and the Norms of Science in Biotechnology Research. *Yale Law Journal* 1987 ; 97 (2) : 177-231.

· Eisenberg R. Analyze This : A law & Economics Agenda for Patent System. *Vanderbilt law Review* 2000 ; 53 (6) : 2081-98.

· Eisinger F, Bignon YJ, Cuisenier J, Lyonnet D, Noguès C, Sobol H & FNCLCC, G.g.d.l. 1995a. Consultation d'oncogénétique : quelques recommandations du groupe génétique et cancer de la FNCLCC : in Boiron M (ed.) *Eurocancer 95.* Paris : John Libbey Eurotext.

· Eisinger F, Orsi F, Moatti J. Information génétique et systèmes d'assurance maladie. In : INSERM/FNCLCC, editor. *Risques héréditaires de cancers du sein et de l'ovaire. Quelle prise en charge ?* Paris : INSERM, 1998 : 263-72.

· Eisinger F, Thouvenin D, Bignon YJ, *et al.* Considerations on the organization of oncologic-genetic consultations (a first step towards the publication of clinical practice guidelines). *Bull Cancer* 1995 ; 82 : 865-78.

· Eisinger F, Geller G, Burke W, Holtzman NA. Cultural basis for diferences between US and French clinical recommendations for women at increased risk of breast and ovarian cancer. *The Lancet* 1999 ; 353 : 919-20.

· Eisinger F, Alby N, Bremond A, *et al.* Expertise Collective INSERM-FNCLCC. Recommandations portant sur la prise en charge des femmes ayant un risque d'origine génétique de développer un cancer du sein et/ou de l'ovaire. *Annales de Génétique* 1999 ; 42 : 51-64.

· Emery J, Hayflick S. The Challenge of Integrating Genetic Medicine into Primary Care. *British Medical Journal* 2001 ; 322 : 1027-30.

· Esptein S. *Impure Science. Aids, Activism and the Politics of Knowledge* Berkeley, University of California Press 1996.

· EUROGAPP Project. Genetic information and testing in insurance and employment : technical, social and ethical issues. *Eur J Hum Genet* 2003 ; 11 (12) : 909-10.

· Ewald F, Moreau J. Génétique médicale, confidentialité et assurance. *Risques* 1994 : 111-20.

· Feissel-Leibovici A. *Le gène et son génie.* Actualité de la Psychanalyse. Erès. 2001.

· Ferrant A. Le cancer et la honte. *Oncologie,* 4 (9) : 209-14.

· Findlay SD. Direct-to-consumer promotion of prescription drugs. Economic implications for patients, payers and providers. *Pharmacoeconomics* 2001 ; 19 : 109-19.

· Foucault M. *Naissance de la clinique.* Paris : PUF, coll. Galien, 2e éd., 1972.

· Freidson E. *La profession Médicale.* Paris : Payot, 1984.

· Gad S, Stoppa-Lyonnet D, *et al.* Identification of a large rearrangement of the BRCA1 gene using color bar code on combed DNA in an american breast/ovarian cancer family previously studied by direct sequencing, *Journal of Medical Genetics 2001* ; 38(6) : 388-91.

· Gaudilliere JP, Mettre les savoirs en débat. Expertise biomédicale et mobilisations associatives en France et aux États-Unis. *Politix* 2002 ; 15 : 103-23.

· Gaudillière JP, Cassier M. Production, valorisation et usage des savoirs : la génétique du cancer du sein, Rapport de Recherche, contrat MIRE 3/1998, Paris 2001.

· Gaudillière JP, Löwy I. Medecine, Markets and Public Health : Contemporary Testing for Breast Cancer Predispositions. In : Virgina Berridge and Kelly Loughin, eds, *Medecine, Markets and Mass Media : Producing Health in the Twentieth Century,* London, Routledge (Sous presse).

• Gibbons M, Limoges C, Nowotny H, Schwartzman S, Scott P, Trow M. *The New Mode of Knowledge Production.* London : Sage 1994.

• Gollust SE, Hull SC, Wilfond BS. Limitations of direct-to-consumer advertising for clinical genetic testing. *Journal of the American Medical Association* 2002 ; 288 : 1762-7.

• Golse A. De la médecine à la médecine de la santé, in P. Artières et E. Da Silva (dir.), *Michel Foucault et la médecine. Lectures et usages.* Paris : Éditions Kimé, 2001 : 273-300.

• Grann VR, Jacobson JS, Whang W, *et al.* Prevention with tamoxifen or other hormones versus prophylactic surgery in BRCA1/2-positive women : a decision analysis. *The Cancer Journal from Scientific American* 2000a ; 6 : 13-20.

• Grann VR, Panageas KS, Whang W, Antamn KH, Neugut AI. Decision analysis of prophylactic mastectomy and oophorectomy in BRCA1-positive or BRCA2-positive patients. *Journal of Clinical Oncology* 1998 ; 16 : 979-85.

• Grann VR, Sundararajan V, Jacobson JS, *et al.* Decision analysis of Tamoxifen for the prevention of invasive breast cancer. *The Cancer Journal* 2000b ; 6 : 169-78.

• Grann VR, Whang W, Jacobson JS, Heitjan DF, Antman KH, Neugut AI. Benefits and costs of screening Ashkenazi Jewish women for BRCA1 and BRCA2. *Journal of Clinical Oncology* 1999 ; 17 : 494-500.

• Green MJ, Biesecker BB, McInerney AM, Mauger D, Fost N. An interactive computer program can effectively educate patients about genetic testing for breast cancer susceptibility. *Am J Med Genet* 2001 ; 103 (1) : 16-23.

• Haiken E. *Venus Envy : A History of Cosmetic Surgery*, Baltimore and London : The Johns Hopkins University Press, 1997.

• Hakk MA, Rich SS. Laws restrict health insureres' use of genetic information : impact on genetic discrimination. *American Journal of Human Genetics* 2000 ; 66 (1) : 293-307.

• Harnett C. The Human Genome and the Downside of Federal Technology Transfer, *Genome Symposia*, Risk : Health, safety & environment, 1996, http://www.rpic.edu.

• Healy B. BRCA genes : bookmarking, fortune telling and medical care. *New England Journal of Medicine* 1997 ; 336 : 1448-9.

• Heimdal K, Maelhe L, Moller P (1999) Costs and benefits of diagnosing familial breast cancer. *Disease Markers* 1990 ; 15 : 167-73.

• Heller M, Eisenberg R. Can Patent Deter Innovation ? The Anticommons Tragedy in Biomedical Research. *Science 1998* ; 280 : 698-701.

• Hirsh-Yechezkel G, Chetrit A, Lubin F *et al.* Population attributed affecting the prevelance of BRCA mutation carriers in epithelial ovarian cancer cases in Isreal. *Gynecological Oncology* 2003 ; 89 (3) : 494-8.

• Holtzman NA, Marteau TM. Will genetics revolutionize medicine? *N Engl J Med* 2000 ; 343 (2) : 141-4.

• Holtzmann N, Watson S. *Promoting Safe and Effective Genetic Testing in the United States.* Final Report of the Task Force on Genetic Testing, Baltimore : Johns Hopkins University Press, 1998.

• Hoy M, Orsi F, Eisinger F, Moatti J. The Impact of genetic testing on Healthcare Insurance. *The geneva Papers on Risk and Insurance* 2003 ; 28 (2) : 203-21.

· Hughes C, Lerman C, Schwartz M, *et al.* All in the family : evaluation of the process and content of sisters'communication about BRCA1 and BRCA2 genetic test results. *Am J Med Genet* 2002 ; 107 : 143-50.

· Huiart L, Eisinger F, Stoppa-Lyonnet D, *et al.* Effects of genetic consultation on perception of a family risk of breast/ovarian cancer and determinants of inaccurate perception after the consultation. *Journal of Clinical Epidemiology* 2002 ; 55 : 665-75.

· Hull SC, Prasad K. Reading between the lines : direct-to-consumer advertising of genetic testing. *Hastings Center Report* 2001 ; 31 : 33-5.

· INSERM. *Tests génétiques.* Collection Repères, 2003.

· INSERM, Expertise collective. *Risques héreditaires des cancers du sein et de l'ovaire. Quelle prise en charge ?* Paris : INSERM Éditions, 1998.

· Julian-Reynier C, Cristini C, Stoppa-Lyonnet D, *et al.* The French Cancer Genetic Group, Noguès C. *Psychological impact of BRCA+/- genetic results : 8 month follow up of the French national cohort of unaffected women.* 8th International meeting on Psychosocial aspects of cancer genetics. Barcelona, 2003.

· Julian-Reynier C, Eisinger F, Chabal F, *et al.* Cancer genetic clinics : why do women who already have cancer attend ? *Eur J cancer* 1998 ; 37 : 1549-53.

· Julian-Reynier C, Eisinger F, Chabal F, *et al.* Disclosure to the family of breast/ovarian cancer genetic test results : patient's willingness ans associated factors. *Am J Med Genet* 2000 ; 94 : 13-8.

· Julian-Reynier C, Welkenhuysen M, Hagoel L, Decruyenaere M, Hopwood P. Risk communication strategies : state of the art and effectiveness in the context of cancer genetic services. *Eur J Hum Genet* 2003 ; 11 (10) : 725-36.

· Julian-Reynier CM, Bouchard LJ, Evans DG, *et al.* Women's attitudes toward preventive strategies for hereditary breast or ovarian carcinoma differ from one country to another : differences among English, French, and Canadian women. *Cancer* 2001 ; 92 (4), 959-68.

· Keating P, Cambrosio A. *Biomedical Platforms. Realigning the normal & the pathological in late-twentieth-century medicine.* Cambridge : MIT Press, 2003.

· Kerleau M. L'hétérogénéité des pratiques médicales, enjeu des politiques de maitrise des dépenses de santé. *Sciences Sociales et Santé* 1998 ; 16 : 5-32.

· Kessler S. *Psyche and helix : psychological aspects of genetic counseling.* New York : Wiley, 2000.

· Khoury MJ, Newill CA, Chase GA. Epidemiologic evaluation of screening for risk factors : application to genetic screening. *Am J Public Health* 1985 ; 75 (10) : 1204-8.

· King MC, Marks JH, Mandell JB, et New York Breast Cancer Study Group. Breast and ovarian cancer risks due to inherited mutations in BRCA1 and BRCA2. *Science* 2003 ; 302 (5645) : 643-654.

· Krieger N. Counting accountably : Implications of the new approaches to classifying race/ethnicity in the 2000 census. *American Journal of Public Health 2000* ; 90 (11) : 1687-9.

· Lasset C. Programme Hospitalier de Recherche clinique. Prise en charge des patients cancéreux reconnus porteurs d'une prédisposition héréditaire au cancer du sein ou du côlon non polyposique dans la région lyonnaise – Évaluation des conséquences psychosociales et des protocoles de prévention, 1997.

· Lawrence WF, Peshkin BN, Liang W, Isaacs C, Lerman C, Mandelblatt JS. Cost of genetic counseling and testing for BRCA1 and BRCA2 breast cancer susceptibility mutations. *Cancer, Epidemiology, Biomarkers & Prevention* 2001 ; 10 : 475-81.

· Lebrun JP. *De la maladie médicale*. Bruxelles : De Boeck Wesmael, 1993.

· Lehmann A, Janin N. Éthique et soutien psychologique. In : *Eurocancer* 96, Paris : John Libbey Eurotext, 1996 : 187-8.

· Lerman C, Biesecker B, Benkendorf JL, *et al.* Controlled trial of pretest education approaches to enhance informed decision-making for BRCA1 gene testing. *J Natl Cancer Inst* 1997 ; 89 (2) : 148-57.

· Lerman C, Daly M, Masny A, Balshem A. Attitudes about genetic testing for breast/ovarian cancer susceptibility. *J Clin Oncol* 1994 ; 12 : 843-50.

· Lerman C, Hughes C, Croyle RT, *et al.* Prophylactic surgery decisions and surveillance practices one year following BRCA1/2 testing. *Prev Med* 2000 ; 31 (1) : 75-80.

· Lerman C, Hugues C, Lemon SJ, Main D, Lynch HT. What you don't know can hurt you : adverses psychologic effects in members of BRCA1/2-linked families who decline genetic test. *J Clin Oncol* 1998 ; 16 : 1650-4.

· Lerman C, Narod S, Schulman K, *et al.* BRCA1 testing in families with hereditary breast-ovarian cancer. *Journal of the American Medical Association* 1996 ; 275 (24) : 1885-1903.

· Levy-Lahad E, Catane R, Eisenberg S, *et al.* Founder BRCA1 and BRCA2 Mutations in Ashkenazi Jews in Israel. *American Journal of Human Genetics 1997 ;* 60 (5) : 1013-2020.

· Levy-Lahad E, Plon SE. A risky business – assesing breast cancer risk. *Scienc*e 2003 ; 302 : 564-75.

· Lodder L, Frets PG, Trijsburg RW, *et al.* Psychological impact of receiving a BRCA1/BRCA2 test result. *Am J Med Genet* 2001 ; 98 (1) : 15-24.

· Lodder LN, Frets PG, Trijsburg RW, *et al.* One year follow-up of women opting for presymptomatic testing for BRCA1 and BRCA2 : emotional impact of the test outcome and decisions on risk management (surveillance or prophylactic surgery). *Breast Cancer Res Treat* 2002 ; 73 (2) : 97-112.

· Löwy I. « Les faits scientifiques » et leur public : histoire de la détection de la syphilis. *Revue de Synthèse* 1995 ; 4° S, N° 1 : 27-54.

· Lynch HT, Watson P, Conway TA, *et al.* DNA screening for breast/ovarian cancer susceptibility based on liked markers : a family study. *Arch Intern Med* 1993 ; 153 : 1979-87.

· Machavoine JL, Labarre N, Simonet M, *et al.* Besoins partagés, demandes exprimées : expérience d'u groupe de soutien psychothérapique dans un centre de lutte contre le cancer. XVIe congrès de la SFPO, Aventis, 7 décembre 1999.

· Mackay J, Ponder B. The Management of Inherited Breast Cancer Risk. In : Bonadonna G, Nortobagui G, Massino-Gianni A (ed). *Texbook of Breast Cancer.* London, UK : Martin Dunitz 2001, 85-97.

· Maddox J. The case for the human genome. *Nature* 1991 ; 352 (6330) : 11-4.

· Maltoff ET, Shappell H, Brierly K, *et al.* What would you do ? Specialists' perspective on cancer genetic testing, prophylactic surgery and insurance discrimination. *Journal of Clinical Oncology* 2000 ; 18 (12) : 2484-92.

· Mankiszak J, Gronwald J, Gorski B, *et al.* Hereditary ovarian cancer in Poland, *International Journal of Cancer* 2003 ; 106 (6) : 942-5.

· Marks H. Confiance et méfiance dans le marché : les statistiques et la recherche clinique (1945-1960). *Sciences Sociales et Santé* 2000 ; 18 (4) : 9-25.

· Marks H. *La Médecine des Preuves. Histoire et Anthropologie des Essais cliniques (1900-1990).* Paris : Synthelabo, 1999.

· McCanlies EC, Kreiss K, Andrew M, Weston A. HLA-DPB1 and chronic beryllium disease : a HuGE review. *Am J Epidemiol* 2003 ; 157 (5) : 388-98.

· Meijers-Heijboer E, Verhoog L, Brekelmans C, *et al.* Presymptomatic DNA testing and prophylactic surgery in families with a BRCA1 or BRCA2 mutation. *The Lancet* 2000 ; 355 : 2015-20.

· Meiser B, Halliday JL. What is the impact of genetic counselling in women at increased risk of developing hereditary breast cancer? A meta-analytic review. *Social Science and Medicine* 2002 ; 54 : 1463-70.

· Merton R. *The Sociology of Science : Theorical and Empirical Investigation*, Chicago : University of Chicago Press, 1973.

· Merz J. Disease Gene Patents : Overcoming Unethical Constraints on Clinical Laboratory Medicine. *Clinical Chemistry* 1999 ; 45 : 324-30.

· Mossé P. La rationalisation des pratiques médicales, entre efficacité et effectivité. *Sciences Sociales et Santé* 1998 ; 16 : 35-58.

· Mowery D, Nelson R, Sampat N, Ziedonis A. The effects of Bayh-Dole Act on US University Research and Technology Transfer. In *Industrializing Knowledge.* MIT Press 1999 ; 269-306.

· National Breast Cancer Coalition (NBCC). Position statement on genetic testing for inherited predisposition to breast cancer. Washington DC : NBCC, 2001.

· Nelson R. The Simple Economics Of Basic Scientific Research. *Journal of Political Economy* 1959 ; LXVII (3) : 297-306.

· Nelson R. The market Economy and the Scientific commons. *Working Paper, International and Public Affairs,* Columbia University, 2003.

· NIH/DOE Working Group. Genetic information and health insurance. Report of the Task Force on Genetic Information and Insurance. NIH/DOE Working Group on Ethical, Legal, and Social Implications of Human Genome Research. *Hum Gene Ther* 1993 ; 4 (6) : 789-808.

· Nobles M. *Shades of Citizenship : Race and The Census in Modern Politics,* Stanford : Standord University Press, 2000.

· OCDE. Genetic Inventions. Intellectual Property Rigths and Licensing Pratices, 2002.

· Orsi F, Eisinger F, Moatti J. Information génétique et système privé d'assurance maladie. *Journal d'Économie Médicale* 1996 ; 14 : 401-11.

· Orsi F. La constitution d'un nouveau droit de propriété intellectuelle sur le vivant aux États-Unis : origine et signification économique d'un dépassement de frontière. *Revue d'Économie Industrielle* 2002 ; 99 : 65-86.

· Orsi F, Moatti JP. D'un droit de propriété intellectuelle au firmes de génomique : vers une marchandisation de la connaissance scientifique sur le génome humain. *Économie et Prévision* 2001 ; 150-151 : 123-38.

· Owen-Smith, J Powell W. To patent or not : Faculty decision and Institutional success at Technology transfers, consultable sur site : jdos@stanford.edu, 2001.

· Perkowska M, Brozek I, Wysocka B, *et al.* BRCA mutations anaysis in breast-ovarian cancer families from Northestern Poland. *Human Mutations* 2003 ; 21 (5) : 553-4.

· Peshkin BN, DeMarco TA, Brogan BM, Lerman C, Isaacs C. Brca1/2 testing : complex themes in result interpretation. *J Clin Oncol* 2001 ; 19 (9) : 2555-65.

· Pestre D. *Science, politique, argent. Un essai d'interprétation.* Paris : INRA, 2003.

· Peterson SK, Watts BG, Koehly LM, *et al.* How families communicate about HNPCC genetic testing : findings from a qualitative study. *Am J Med Genet* 2003 ; 119C : 78-86.

· Phelip B. *Le point de vue juridique, La propriété intellectuelle dans le domaine du vivant.* Académie des Sciences, 1995 : 97-106.

· Rai A, Eisenberg R. *Bayh-Dole Reform and the progress of biomedicine. Law and Contemporary Problems* 2003 ; 66 : 289-313.

· Risch HA, McLaughlin JR, Cole DE, *et al.* Prevalence & penetrance of germline BRCA1 and BRCA2 mutations in a population series of 649 women with ovarian cancer. *Am J Hum Genet* 2001 ; 68 : 700-10.

· Rosenberg CE. What is disease. *Bulletin of the History of Medicine* 2003 ; 77 : 491-505.

· Rothley MW. La difficile entrée des biotechnologies dans le domaine des brevets, dans *Les inventions biotechnologiques – Protection et exploitation*, Litec 1999 : 9-15.

· Ruffié J. *Naissance de la médecine prédictive.* Paris : Odile Jacob, 1993.

· Sackett DL, Rosenberg WM, Gray JA, Haynes RB, Richardson WS. Evidence based medicine : what it is & what it isn't. *Bmj* 1996 ; 312 : 71-2.

· Schwartz MD, Peshkin BN, Hughes C, Main D, Isaacs C, Lerman C. Impact of BRCA1/BRCA2 mutation testing on psychologic distress in a clinic-based sample. *J Clin Oncol* 2002 ; 20 (2) : 514-20.

· Secretary's Advisory Committee on Genetic Testing (SACGT). *Enhancing the Oversignt of Genetic Tests : Recommendations of the SACGT.* Washington : NIH, 2000a.

· Secretary's Advisory Committee on Genetic Testing (SACGT). *A Public Consultation on Oversight of Genetic Tests.* Washington : NIH, 2000b.

· Sevilla C, Bourret P, Noguès C, Moatti JP, Sobol H, le Groupe Génétique et Cancer, Julian-Reynier C. L'offre de tests de prédisposition génétique au cancer du sein ou de l'ovaire en France. *Médecine/Sciences* 2004 ; 20 : 788-92.

· Sevilla C, Moatti JP, Julian-Reynier C, *et al.* Testing for BRCA1 mutations : a cost-effectiveness analysis. *European Journal of Human Genetics* 2002 ; 10 : 599-606.

· Sevilla C, Julian-Reynier C, Eisinger F, *et al.* Impact of gene patents on the cost-effective delivery of care : the case of BRCA1 genetic testing, *International Journal of Technology Assessement in Health Care* 2003 ; 19 (2) : 287-300.

· Sinding C. *Le clinicien et le chercheur. Des grandes maladies de carence à la médecine moléculaire (1880-1980).* Paris : PUF, 1991.

· Stanford Program in Genomics, Ethics and Society (PGES). Genetic Testing for BRCA1 and BRCA2. *Journal of Women's Health* 1998 ; 7 : 531-45.

· Stoppa-Lyonnet D. Intérêt de la consultation génétique dans le cadre des cancers du sein et de l'ovaire. *La lettre du Sénologue* 1995 ; vol IV, 6.

· Sturewing JP, Hartge P, Wacholder S, *et al.* The risk of cancer associated with specific mutations of BRCA1 and BRCA2 among Ashkenazi Jews, *New England Journal of Medicine* 1997 ; 336 : 1416-21.

· Tereschenko IV, Basham VM, Ponder BA, Pharoah PD. BRCA2 and BRCA2 mutations in Russian familial breast cancer, *Human Mutations* 2002 ; 19 (2) : 184-6.

· Timmermans S, Berg M. *The Gold Standard. The challenge of Evidence-Based Medicine & standardization in health care*. Philadelphia : Temple University Press, 2003.

· Tudiver F, Guibert R, Haggerty J, *et al.* What influences family physicians' cancer screening decisions when practice guidelines are unclear or conflicting ? *The Journal of Family Practice* 2002 ; 51 : 760.
· United States Patent and Trademark Office. Utility Examination Guidelines. *Federal Register* 2001 ; 66 : 1092-9.
· van Oostrom I, Meijers-Heijboer H, Lodder L, *et al.* Long-term psychological impact of carrying a BRCA1/2 mutation and prophylactic surgery : a 5 year follow up study. *J Clin Oncol* 2003 ; 21 : 3867-74.
· Wadman M. Testing time for gene patent as Europe rebels. *Nature* 2001 ; 413.
· Watson MS, Greene CL. Points to consider in preventing unfair discrimination based on genetic disease risk : a position statement of the American College of Medical Genetics. *Genet Med* 2001 ; 3 (6) : 436-7.
· Wazana A. Physicians and the pharmaceutical industry : is a gift ever just a gift ? *Journal of the American Medical Association* 2000 ; 283 : 373-80.
· Williams-Jones B. Where there's a web, there's a way : commercial genetic testing and the Internet. *Community Genetics* 2003 ; 6 : 46-57.
· Wolfe SM. Direct-to-consumer advertising – education or emotion promotion ? *New England Journal of Medicine* 2002 ; 346 : 524-6.
· Woloshin S, Schwartz LM, Welch HG. Risk charts: putting cancer in context. *J Natl Cancer Inst* 2002 ; 94 (11) : 799-804.

DANS LA MÊME COLLECTION

Les malades de l'alcool, B. Rueff, 1995.
Les vertiges et le praticien, P. Tran Ba Huy et C. de Waele, 1996.
Comment gérer la maladie veineuse ?, C. Garde, 1996.
Utilisation des facteurs de croissance hématopoïétiques, H. Dombret, 1996.
Épilepsies en questions, M. Baldy-Moulinier, 1997.
Les troubles dépressifs, F. Rouillon, 1997.
Les hypercholestérolémies, E. Brückert et D. Thomas, 1997.
La prostate, R.O. Fourcade, 1997.
La sclérose en plaques, O. Lyon-Caen et M. Clanet, 1997.
Le guide du sommeil, M.F. Vecchierini, 1997.
Corticoïdes et corticothérapie, B. Wechsler et O. Chosidow, 1997.
La maladie d'Alzheimer, J.J. Hauw, 1997.
Le système rénine-angiotensine et la progression de l'insuffisance rénale, D. Cordonnier, P. Zaoui et N. Bourmeyster, 1997.
Le reflux gastro-oesophagien, G. Cadiot, 1998.
La thrombose coronaire et ses traitements, G. Montalescot, 1998.
Les maladies inflammatoires chroniques de l'intestin, J.C. Rambaud, 1998.
La migraine, H. Massiou, 1998.
La schizophrénie débutante, H. Grivois et L. Grosso, 1998.
L'insuffisance cardiaque, J.P. Broustet, 1999.
Les infections urinaires de la femme, F. Leconte, 1999.
La prévention de la maladie coronaire, J. Delaye, 1999.
La gonarthrose, B. Amor, 1999.
La polyarthrite rhumatoïde de l'adulte, J. Sany, 1999.
Décisions vasculaires. Les artériopathies de l'aorte et des membres inférieurs, C. Boissier et J.L. Guilmot, 1999.
Les diarrhées aiguës de l'enfant, C. Dupont, 1999.
Cancers broncho-pulmonaires. Vérités polémiques et nouveautés futures, B. Lebeau, 1999.
Les bronchopneumopathies chroniques obstructives, T. Similowski, J.F. Muir et J.P. Derenne, 1999.
Le cancer de la prostate, O. Cussenot et P. Teillac, 2000.
L'athérosclérose, J. Emmerich et P. Bruneval, 2000.
Les infections ostéo-articulaires, D. Peyramond et A. Boibieux, 2000.
Le ralentissement de la progression de l'insuffisance rénale, G. Bobrie, 2000.
Le cancer du rein de l'adulte, G. Benoît, 2000.
Troubles dépressifs et personnes âgées, H. Lôo et T. Gallarda, 2000.
Les antagonistes des récepteurs de l'angiotensine 2, X. Girerd, 2000.
Statines et fibrates, J.C. Fruchart, 2000.
Pneumonies, P. Léophonte, 2001.
Poids et obésité, J.M. Lecerf, 2001.

Les endocardites infectieuses, B. Hoen, 2001.
Les psychoses, P.M. Llorca, 2001.
Actualités dans l'insuffisance cardiaque, J.P. Bounhoure, 2001.
Vascularisation tumorale et traitements anticancéreux, E. Lartigau, M. Guichard, B. Vandenbunder et E. Vicaut, 2002.
Dyslipidémies du diabétique, M. Farnier, 2002.
Les pathologies du vieillissement masculin, J.M. Kuhn et L. Sibert, 2002.
La rhinite allergique, P. Demoly et J. Bousquet, 2002.
Qualité de vie et cancérologie, S. Schraub et T. Conroy, 2002.
L'ulcère de jambe chez la personnes âgée, S. Meaume, C. Debure, I. Lazareth et L. Téot, 2002.
Épilepsies : stratégies thérapeutiques chez l'adulte, M. Baulac, 2002.
L'ostéoporose, R. Chapurlat, P. Delmas et M. Arnaud, 2003.
Cancer de la vessie, C. Coulange et S. Culine, 2003.
Déshydratation aiguë du nouveau-né et du nourrisson, J.F. Duhamel, 2003.
Génétique de la schizophrénie, F. Thibaut, 2003.
Tabacologie et sevrage tabagique, J. Perriot, 2003.
Polyarthrite rhumatoïde de l'adulte. Conception actuelle, J. Sany, 2003.
Le reflux gastro-oesophagien. Conceptions actuelles, M.A. Bigard, 2003.
Les démences du sujet âgé, L. Lacomblez et F. Mahieux-Laurent, 2003.
La dépression au féminin, M. Ferreri, F. Ferreri et P. Nuss, 2003.
La dysfonction érectile, P. Bondil, 2003.
Qualité de vie : du nez aux bronches, J.M. Klossek, 2003.
La grippe : conceptions actuelles, C. Hannoun, P. Léophonte et D. Peyramond, 2003.
Les troubles dépressifs récurrents, F. Rouillon, 2004.
La bronchopneumopathie chronique obstructive, T. Similowski, J.F. Muir et J.P. Derenne, 2004.
Évaluation du handicap dans les troubles dépressifs : utilisation du concept de qualité de vie, P. Martin et C.S. Peretti, 2004.
Schizophrénie et cognition, C.S Peretti, P. Martin et F. Ferreri, 2004.
Les anticoagulants en pratique quotidienne, H. Decousus, 2004.
Les injections intracaverneuses, R. Virag, 2004.
Hyperphosphatémie dans l'insuffisance rénale chronique, P. Urena Torres, 2004.
Le sélénium actualité, J.P Césarini, 2004.
Le magnésium, A. Berthelot, M. Arnaud, A. Reba, 2004.
Qualité de vie et dermatologie, J.-J. Grob, 2004.
La spondylarthrite, M. Breban, 2004.
Le cancer du pancréas exocrine, G. Lledo, 2004.
Qualité de vie et schizophrénies, P. Martin, J.-M. Azorin, 2004.
Troubles bipolaires : pratiques, recherches et perspectives, M. Leboyer, 2005.
L'Anxiété généralisée, P. Boyer, 2005.